Historia

Quinto grado

Historia. Quinto grado fue preparado por la Secretaría de Educación Pública, a partir de las sugerencias recogidas en el Foro Nacional para la Enseñanza de la Historia de México en la Educación Primaria, y con las valiosas contribuciones de un nutrido grupo de maestros y especialistas.

Proyecto pedagógico, investigación y redacción
Equipo técnico de la Subsecretaría de Educación Básica y Normal

Supervisión técnica y pedagógica
Subsecretaría de Educación Básica y Normal,
de la Secretaría de Educación Pública

Coordinación editorial
María Ángeles González
Patricia van Rhijn
Rocío Miranda

Iconografía
Equipo técnico de la Subsecretaría de Educación Básica y Normal
Francisco Serrano
Asistente: Roxana Peirce

Servicios editoriales
CIDCLI

Diseño Gráfico:
Rogelio Rangel
Asistente: Antonio Sierra

Reproducción fotográfica:
Víctor Gayol, André Krassoievitch,
Rafael Miranda, Antonio Muñohierro, Alexis Zabé

Preprensa:
Diseño Gráfico & Industrial

Portada
Diseño: Comisión Nacional de Libros de Texto Gratuitos,
con la colaboración de Luis Almeida,
Ilustración: *Juárez, símbolo de la República contra la intervención francesa,* 1972
Acrílico sobre tela, 5.86 x 4.37 m
Antonio González Orozco (1933-)
Museo Nacional de Historia, México, D.F.
Reproducción autorizada: Instituto Nacional de Antropología e Historia,
Consejo Nacional para la Cultura y las Artes
Fotografía: Javier Hinojosa

Primera edición, 1994
Primera edición revisada, 1995
Segunda edición revisada, 2001
Tercera edición revisada, 2002
Primera reimpresión, 2003 (ciclo escolar 2004-2005)

ISBN 970-18-8903-7

Impreso en México

Este libro de texto gratuito está destinado a los alumnos que cursan el quinto grado en las escuelas primarias del país. Ha sido elaborado por la Secretaría de Educación Pública conforme a los planes y programas de estudio establecidos en 1993, uno de cuyos propósitos principales es reestablecer el estudio sistemático de la historia de México y de la humanidad.

En el cuarto grado, los alumnos realizaron un primer estudio general de la historia del pueblo mexicano. Con esa base, en el quinto grado aprenderán los elementos más importantes de la historia universal, relacionándolos con una nueva revisión del desarrollo histórico de México. El periodo estudiado comprende desde el origen del hombre hasta mediados del siglo XVIII, antes del inicio de las grandes revoluciones liberales. Por lo que corresponde a México, se incluyen el poblamiento del territorio, las civilizaciones mesoamericanas, la conquista y la época colonial. Cuando cursen el sexto grado, los alumnos estudiarán desde los movimientos liberales e independentistas hasta la época actual.

El libro de quinto grado expone de manera sencilla los grandes temas de la historia política, pero se ha intentado además ofrecer a los niños elementos que les ayuden a entender el desarrollo de las ideas, la ciencia, la técnica y la vida diaria en las grandes etapas de la historia humana.

El libro utiliza sólo datos fundamentales relativos a fechas y nombres de personajes y lugares, los cuales pueden precisarse en la línea del tiempo, que tiene el carácter de material de apoyo. Se ha preferido presentar panoramas históricos amplios, con abundantes recursos gráficos y temas colaterales incluidos en recuadros. Esta forma de exposición se ha considerado adecuada para que los niños adquieran una estructura básica en la comprensión de la historia, pero sobre todo para que desarrollen curiosidad, imaginación y placer en el conocimiento del pasado humano.

Historia. Quinto grado forma parte del proceso de renovación de materiales educativos que inició la Secretaría de Educación Pública en 1993. Estos materiales deberán ser mejorados cada vez que la experiencia y la evaluación lo hagan recomendable. Para que esta tarea tenga buen éxito son indispensables las opiniones de los maestros y los alumnos que trabajarán con este libro, así como las sugerencias de madres y padres de familia.

índice

Escena de caza,
pintura rupestre en Francia.

Los primeros seres humanos

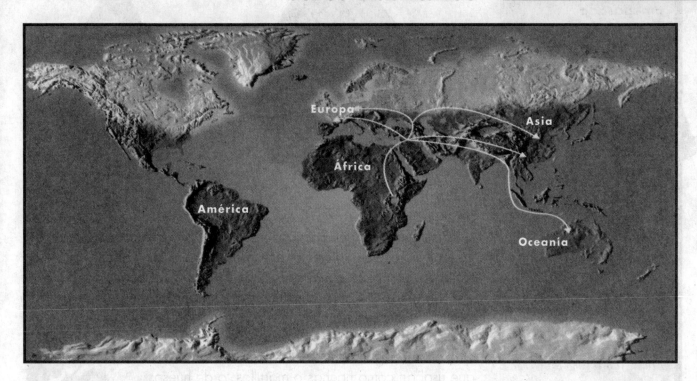

El origen del hombre

Durante una época muy larga, que se extendió por millones de años, los seres humanos no existían sobre la superficie de la Tierra. Las selvas, los bosques, las llanuras y los mares estaban poblados por especies animales cuyas formas nos parecen extrañas y que en su mayor parte ya han desaparecido. También las plantas y los árboles eran distintos de los que ahora conocemos. Los animales y los vegetales cambiaron lentamente, al paso de miles de años. Unas especies se extinguieron y otras nuevas se formaron. A esos cambios se les llama *evolución*.

Hace más de dos millones de años, en las llanuras y valles cálidos del sur y del este de África, aparecieron nuestros primeros antepasados. Ya eran distintos de los monos que existían en aquella época, pero no eran todavía iguales al hombre moderno: su estatura era menor, como de 1.30 metros, su cerebro más pequeño, las mandíbulas muy desarrolladas y la frente inclinada hacia atrás.

Caminaban erguidos y eso les permitía usar las manos libremente.

Desde África, nuestros primeros antepasados se dispersaron por Europa, Asia y Oceanía, en donde continuaron evolucionando. América fue el último continente en ser poblado.

Evolución del hombre.

Más de 2 millones a.C.

Nuestro más remoto antepasado

¿Cómo es que conocemos la apariencia de los seres prehistóricos, si desaparecieron hace tanto tiempo? El cráneo que ves aquí es el de un ser anterior al hombre, llamado Austra-lopiteco, *que existió hace 3.5 millones de años. Se conservó así porque el esqueleto, casi completo, quedó cubierto por tierra muy seca. En broma, sus descubridores le pusieron* Lucy. *Ahora es el único ser prehistórico que es famoso por su nombre propio.*

Fíjate en que la frente era muy pequeña; su cerebro era apenas una cuarta parte del de un hombre actual. Los científicos que estudiaron los huesos supieron que era del sexo femenino por la forma de la pelvis. Los huesos de las piernas indican que caminaba erguida y que era de baja estatura.

Estos primeros antepasados del hombre formaban pequeños grupos familiares y se alimentaban de frutas, semillas y raíces, que recolectaban en largas caminatas, y de la carne de pequeños animales que cazaban. Vivían al aire libre y permanecían poco tiempo en un mismo lugar, pues sus fuentes de alimentación se agotaban muy pronto. Fabricaban instrumentos toscos, hechos de piedras que afilaban golpeándolas con otras más duras, y que usaban como hachas o martillos, o de huesos y trozos de madera puntiagudos. Por su capacidad para elaborar instrumentos, a este primitivo antepasado los científicos lo han llamado *homo habilis*, que significa hombre hábil.

Es sorprendente que los primeros hombres hayan sobrevivido. Compartían su territorio con animales más fuertes y ágiles que ellos y tenían que vencer los peligros de las sequías, la escasez de alimentos y las enfermedades. Sin embargo, fueron desarrollando las capacidades que hacen al ser humano diferente de todos los demás seres vivos: podían pensar y aprender,

Al paso del tiempo, el cráneo de las variedades humanas fue creciendo y el volumen de su cerebro fue mayor. Obsérvalo en esta serie de cráneos.

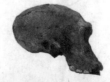

enseñar a los más jóvenes lo que habían aprendido, organizarse para trabajar en grupo y fabricar instrumentos sencillos.

Durante varios cientos de miles de años, los hombres siguieron evolucionando. Aparecieron variedades humanas de mayor altura y peso, con un cerebro más grande. En algún momento en la prehistoria, que los científicos no han podido precisar, los hombres primitivos se extendieron desde África a los territorios de Asia, Europa y Oceanía. En esas regiones continuaron su evolución hasta que, hace unos 50 mil años, su aspecto físico era el mismo que tienen los hombres y mujeres de hoy en día. A estos seres humanos se les llama *homo sapiens*, que significa hombre que piensa.

▲ *En el transcurso de miles de años, el hombre aprendió a tallar cada vez con mayor perfección sus instrumentos de piedra.*

ACTIVIDAD

Tú conoces algunos mitos sobre el origen de los seres humanos, recuérdalos y compara esas explicaciones con la que acabas de leer.

- ¿Cómo explicaban los antiguos seres humanos su origen?
- ¿Qué diferencias encuentras entre esas explicaciones y la que leíste en este libro?
- ¿Con cuál de estas explicaciones estás de acuerdo? ¿Por qué? Escribe un texto con todas las ideas que se te ocurran y coméntalo con tus compañeros.

Algún homo sapiens *dejó la huella de su mano pintada en la pared de una cueva.*

Los cazadores nómadas

Al paso de los milenios, los hombres prehistóricos fueron aprendiendo cosas nuevas y más complicadas. Su primer gran invento fue encontrar la manera de producir fuego: con él podían protegerse, calentarse y asar o tostar algunos alimentos.

Descubrimiento del fuego.

El hombre aprendió también a fabricar instrumentos más elaborados: filosos cuchillos y hachas de piedra, puntas para lanzas de madera, agujas de hueso, raspadores para trabajar la piel de los animales. Con estos instrumentos se volvió más fácil cazar animales de mayor tamaño, cortar su carne y aprovechar las pieles para vestirse.

Con piedras se raspaba la piel de los animales

Hace unos 100 mil años, el clima de la Tierra sufrió un cambio notable. La temperatura descendió y el intenso frío hizo que se formaran grandes capas de hielo, que no se derretían en los veranos y que avanzaron desde los polos hacia los territorios continentales. Una de las consecuencias de este cambio fue que, como había una inmensa cantidad de agua convertida en hielo, las lluvias disminuyeron y grandes zonas se convirtieron en desiertos. Por esa misma razón bajó el nivel de los mares y se unieron territorios que actualmente están separados por las aguas.

En las frías tierras de Asia y Europa, la caza adquirió mayor importancia, aunque siempre se combinó con la recolección. Los grupos de cazadores eran nómadas, es decir, iban de un lugar a otro siguiendo a las manadas de ciervos y renos, bisontes y caballos salvajes que se habían convertido en su principal fuente de alimentación. En cambio es probable que la caza del mamut y del gran rinoceronte de espeso pelaje fuera menos frecuente, porque esas bestias eran demasiado grandes y peligrosas para las armas rudimentarias del cazador primitivo.

Para sobrevivir, los hombres prehistóricos necesitaban organizarse. Muchas de sus actividades debían ser planeadas y preparadas: los viajes, el establecimiento de los campamentos, las grandes cacerías

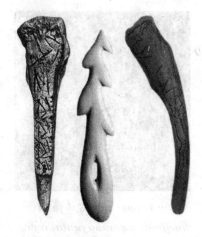

Instrumentos prehistóricos.

El hombre aprende a producir fuego.

Primeros entierros.

Bisonte herido pintado en una cueva en Francia.

El hombre primitivo creía que mediante la magia podía influir sobre la naturaleza. Es probable que esta figura, pintada en la pared de una caverna, represente a un brujo disfrazado de ciervo, que baila para hacer favorable la cacería.

en las que participaba todo el grupo. El trabajo tenía que ser distribuido entre los hombres, las mujeres y los niños. Algunos miembros del grupo ganaban autoridad por su experiencia, sus conocimientos, su fuerza o su habilidad. Ese fue el origen de la división del trabajo.

En la época de los hielos, el hombre aprovechó las cuevas para protegerse del frío. En varias de ellas, sus habitantes pintaron con tintes minerales y vegetales grandes figuras de los animales que cazaban. Es posible que esas pinturas tuvieran un significado mágico y todavía nos asombra el realismo con el que sus autores representaron la forma y el movimiento de sus modelos.

ACTIVIDAD

Observa con detalle las figuras de las herramientas que se inventaron y usaron en la prehistoria:
- ¿Cuáles se siguen usando actualmente?
- ¿Para qué crees que las usaban?
- ¿Para qué se usan en la actualidad?

Con barro, plastilina o algunos otros materiales, modela esos objetos como eran antes y como son ahora.

Herramientas para cazar y pescar

Primeras pinturas rupestres

Tallado de figuras de animales en hueso.

El hombre en América

América fue el último continente ocupado por el hombre, pues se cree que los primeros grupos humanos llegaron a este territorio hace apenas

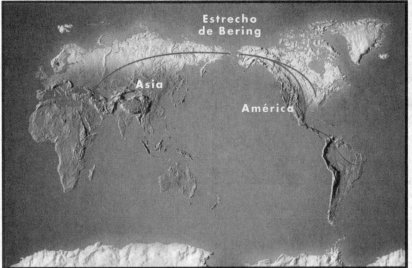

unos 40 mil años. Venían de Asia, seguramente siguiendo a las manadas de animales de caza. Estos primeros habitantes de América pasaron de Siberia a Alaska, que en aquella época estaban unidas por tierra, donde hoy está el estrecho de Bering, pues como ya sabes fue la época en que el nivel de los mares había descendido.

Poblamiento de América.

Muy lentamente los grupos nómadas que llegaban a América viajaron hacia el sur, dejando atrás la capa de hielo que se extendía hasta la parte central de lo que hoy es Estados Unidos. Al pasar el tiempo, llegaron a poblar América del Sur.

Los primeros pobladores de América tocaron por primera vez el actual territorio de México hace sólo 20 mil años. Lejos de las zonas heladas, el hombre encontró un ambiente favorable para vivir. El clima era templado y el agua era entonces más abundante. Algunos grupos se asentaron en tierras mexicanas; otros siguieron su larga migración, siempre hacia el sur.

▼ *En una cueva, situada en la Sierra de Baja California Sur, los pobladores primitivos pintaron estas figuras.*

Uno de los restos humanos más antiguos de México es este cráneo encontrado en Chimalhuacán, México. Pertenece a un hombre que vivió hace unos 20 mil años.

Muchos investigadores han estudiado los restos humanos y los instrumentos de los primeros pobladores de México. Los han encontrado en muchas partes de nuestro territorio, en cuevas y barrancas, o por casualidad, al construir una carretera o una presa. Por esos estudios sabemos que en la vida diaria del antiguo hombre americano, la recolección de plantas y productos animales era más importante que la caza.

Las variedades silvestres de la calabaza, el aguacate y el maíz eran aprovechadas y también sabemos que se alimentaban de animales del mar, pues en algunas regiones de las costas se han encontrado restos de miles de conchas de ostiones y otros moluscos que nuestros antepasados desprendían de las rocas marinas o recogían en las lagunas poco profundas.

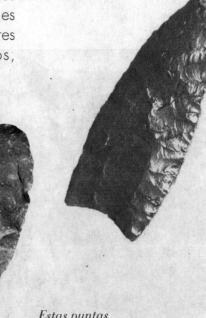

Punta de flecha de obsidiana.

Estos científicos piensan que debido a las difíciles condiciones de vida, la población de lo que hoy es México era muy escasa. Unos cuantos miles de seres humanos, organizados en pequeños grupos, recorrían incesantemente nuestro enorme territorio.

América del Sur fue poblada desde hace unos 15 mil años, como lo muestran los vestigios dejados por cazadores y recolectores en la costa del Pacífico, en las alturas de los Andes y en regiones selváticas de Brasil. Sus formas de vida eran parecidas a las de los habitantes de Mesoamérica; tenían una gran capacidad para adaptarse a diferentes medios naturales y para aprovechar sus recursos.

Figura funeraria tallada en hueso, proveniente de América del Sur.

En las costas de Perú y Chile, por ejemplo, los pobladores desarrollaron una notable habilidad como pescadores y recolectores de moluscos.

Estas puntas servían para cazar y destazar a los animales.

Preparación de las pieles para usarlas como vestido.

Elaboración de collares y adornos con piedras pintadas.

Los límites de la caza y la recolección

Los hombres prehistóricos sobrevivieron y se multiplicaron porque con ingenio aprovecharon los recursos que la naturaleza les ofrecía. Sin embargo, cuando un grupo depende de la caza y la recolección es poco lo que puede progresar. Imagínate sus problemas:

• Los grupos humanos tenían que ser pequeños, porque era imposible asegurar la alimentación de mucha gente.

• Los hombres permanecían poco tiempo en un solo lugar. Por esa razón no tenían más instrumentos y bienes que los que podían cargar en sus espaldas. Por eso mismo construían simples chozas de ramas o de pieles que abandonaban o desmontaban para viajar.

• Dependían de los cambios del clima y de los recursos que encontraban a su paso. No podían conservar los alimentos por mucho tiempo y, según la estación del año, pasaban por temporadas de abundancia y por otras de hambre y grandes privaciones.

Si reflexionas sobre estas dificultades, te darás cuenta de que la humanidad sólo podía progresar si los hombres encontraban una forma más eficaz y segura de obtener alimentos.

▲ *Dibujo que reconstruye una vivienda de cazadores recolectores que vivieron hace unos 10 mil años.*

▼ *Esta ilustración da una idea aproximada de la forma de vida de los grupos nómadas, que tenían que trasladarse constantemente en busca de alimentos.*

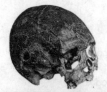

Durante la construcción del Metro en la Ciudad de México se encontró este cráneo humano.

El hombre americano se alimenta de maíz silvestre.

c. 9 mil a.C.

Científicos y detectives

Habrás notado que al hablar de la antigüedad y del hombre prehistórico se usan fechas aproximadas, como "hace unos 100 mil años" o "hacia el quinto milenio", "es probable que" o "los investigadores piensan que". La razón es sencilla. Los restos dejados por el hombre prehistórico son escasos, han quedado ocultos y se han dañado al paso de los siglos. Cuando se encuentran huesos humanos de aquella época, o armas e instrumentos, es necesario estudiarlos e interpretarlos con muchísimo cuidado. Por eso el trabajo de quienes investigan el pasado remoto se parece al de un detective: tiene pistas, resultados aproximados y suposiciones que se corrigen cada vez que hay un nuevo descubrimiento. Hay datos importantes en el lugar donde un resto es encontrado. Sabrás que en la superficie se van formando capas de tierra y restos orgánicos que se llaman estratos, y se sobreponen unas a otras. En cada capa quedan huellas del clima, de la vida animal y vegetal y de fenómenos como la erupción de los volcanes o los terremotos. La profundidad de una capa y los elementos que contiene indican su antigüedad. Un grupo humano deja huellas en los sitios donde ha vivido. Algunos restos llaman la atención, como las tumbas o las habitaciones bien conservadas. Otras son huellas de la vida diaria, restos de comida, ropa o vasijas. Aunque no lo creas, los basureros son una de las mejores fuentes para conocer la vida de nuestros antepasados. En los últimos 50 años las técnicas de investigación han progresado mucho. Se usan complicados equipos de laboratorio para averiguar la antigüedad de los restos de seres huma-nos y establecer su edad, su sexo, y aun lo que comían y las enfermedades que tuvieron.

A pesar de todo, el conocimiento sobre la vida prehistórica es limitado, y es mucho lo que no sabemos. Se cometen errores y se aprende continuamente. Tal vez por eso los investigadores del pasado tienen tanta pasión por su trabajo y, según dicen, se divierten tanto realizándolo.

En la foto puedes observar a una arqueóloga que ha logrado identificar los estratos de un sitio en Mesopotamia habitado por el hombre durante milenios.

ACTIVIDAD

Imagínate que vives en el futuro, dentro de 500 años, y que tienes la oportunidad de investigar sobre la vida de ahora. Si en tus investigaciones descubres un basurero oculto, ¿qué aspectos de la vida actual podrías explicar con las cosas que encontraras? Comenta con tus compañeros lo que te imagines.

Se extinguen los mamuts.

Grupos de pescadores y recolectores alcanzan el extremo sur de América y África.

Escena de pastoreo,
pintura rupestre en África.

La agricultura y las primeras ciudades

El origen de la agricultura

El clima de nuestro planeta cambió de nuevo hace unos 12 mil años. La temperatura se elevó y las capas de hielo retrocedieron hacia los polos. Las lluvias aumentaron y el nivel de los mares se elevó. El paso terrestre que unía a América con Asia fue sepultado por las aguas y nuestro continente quedó aislado del resto del mundo.

Fue entonces, bajo las nuevas condiciones del clima, cuando los seres humanos lograron el más grande adelanto de toda la historia: aprendieron a cultivar la tierra y a domesticar a los animales.

▲ *El trigo que se cultiva actualmente proviene de plantas silvestres como ésta. La selección de las semillas a través de los siglos ha producido variedades con más espigas y más granos.*

◄ *En esta pintura, el autor imagina una escena de la vida diaria en una aldea primitiva. La agricultura se combina con la caza y el pastoreo.*

Los hombres inventan la agricultura.

Se inicia la domesticación de animales.

10, 000 a.C.

La agricultura se desarrolló gradualmente a lo largo de 6 mil años, entre el décimo y el quinto milenio antes de Cristo. La agricultura se practicó primero en las llanuras del Asia Menor y después, de manera independiente, en otras regiones de la Tierra. Al principio, es probable que los hombres simplemente cuidaran ciertas plantas silvestres, parecidas al trigo y a la cebada, y recogieran sus espigas. Después, cuando entendieron cómo es que germinan las semillas, aprendieron realmente a sembrar y cosechar.

Origen de la domesticación de plantas y animales.

Los más antiguos sembradíos eran solamente de temporal, es decir, dependían de las lluvias, pues el hombre no había desarrollado todavía las técnicas necesarias para regar la tierra. Los instrumentos de cultivo eran sencillos: pequeños azadones hechos con piedras afiladas y mangos de madera o palos puntiagudos que en América se llamaron *coas*.

La siembra del trigo y la cebada se extendió pronto a Egipto, al norte de África y a Europa. En otras zonas el hombre aprendió a cultivar vegetales distintos: el arroz en China e India, la calabaza y el maíz en Mesoamérica, la papa en América del Sur.

En esta pintura de Diego Rivera, un campesino mesoamericano cultiva maíz utilizando una coa.

Colador de queso.

Molcajete.

Primitivos instrumentos de labranza.

Los grupos humanos llevan a cabo ritos para procurar la fertilidad de la tierra.

Se elaboran instrumentos de piedra pulida.

La ganadería

La ganadería también se desarrolló paso a paso. Es probable que en un principio los cazadores capturaran y cuidaran crías de animales poco agresivos, como el reno y la cabra salvaje. Así se formaron los primeros rebaños.

Los agricultores primitivos combinaron el cultivo de la tierra con la domesticación de diversas variedades de puercos, ovejas y cabras. Tiempo después se logró domesticar al ganado vacuno. Dominar al caballo fue más difícil, pues su uso se hizo común hace aproximadamente 6 mil años.

El perro es el amigo más antiguo del hombre, como puedes apreciar en esta pintura rupestre.

La historia del perro es interesante, porque según parece, éste acompañaba al hombre desde antes del nacimiento de la agricultura, de modo que el perro no sólo es un buen amigo; también es nuestro amigo más viejo.

Llamas de la región de los Andes.

En América la ganadería tuvo poca importancia, debido a que en este continente no existían las especies que fueron domesticadas en el viejo mundo y los mamíferos americanos eran poco adecuados para la ganadería. En Mesoamérica el animal doméstico más común fue el guajolote y en la región de los Andes fueron aprovechadas la llama y la alpaca.

Guajolote mexicano.

Los agricultores primitivos domesticaron diversas especies de animales.

Se fabrican piezas de cerámica en China.

El hombre logra domesticar al caballo.

5000 a.C.

4500 a.C.

Para fabricar recipientes de cerámica se necesita un horno, porque las vasijas recién hechas deben cocerse a temperaturas altas. Si no es así, se resquebrajan y no sirven. El diagrama inferior muestra un horno de la época neolítica. En la parte baja se quema la leña y el calor pasa a la parte alta, en la cual se colocan las vasijas frescas. Siglos más tarde, los hombres construyeron hornos que producían más calor y pudieron fundir y mezclar metales, como el cobre y el bronce.

Las primeras aldeas

Los grupos de cazadores y recolectores que se fueron convirtiendo en campesinos cambiaron totalmente su modo de vida. Se volvieron sedentarios y establecieron pequeñas aldeas cerca de las tierras de cultivo. Trabajaban duramente y, como los campesinos de hoy en día, tenían años malos de sequía o de lluvias fuera de tiempo. Sin embargo, obtenían sus alimentos de forma más segura y regular y en consecuencia la población empezó a aumentar.

Molienda de granos.

La agricultura dio origen a muchísimos inventos y descubrimientos. Se empezaron a construir verdaderas casas utilizando madera, adobes de barro secados al sol y más adelante ladrillos. Los instrumentos de trabajo eran de piedra, pero tenían mayor calidad y nuevos usos; por ejemplo, en esa época se inventaron los metates, que sirven para moler granos y otros alimentos y que se parecen a los que todavía usan muchas familias mexicanas. Debido a la calidad de los instrumentos, los historiadores han llamado a esta época *neolítica*, que significa nueva edad de piedra.

Por entonces se desarrolló el tejido de cestos y uno de los inventos más importantes fue la cerámica, es decir, la fabricación de recipientes hechos con barro y endurecidos por el calor producido en hornos. La elaboración de vasijas y ollas, de platos y vasos es un invento humilde y no llama mucho

Metate neolítico.

la atención, pero cambió la vida diaria de los seres humanos, porque sin esos recipientes no se podrían cocer los alimentos en agua caliente, ni freírlos con grasa. Piensa en las cosas que se comen en tu casa y que sería imposible preparar si no se hubiera inventado la cerámica.

Se desarrolla la ganadería.

En las aldeas se practican nuevos oficios, como la cestería.

La agricultura en Mesoamérica

La agricultura se desarrolló en Mesoamérica con lentitud. En una primera etapa, el cultivo de la tierra se combinó con la caza y la recolección y los grupos humanos no se volvieron del todo sedentarios. Sembraban superficies pequeñas y regresaban a ellas en la época de cosecha.

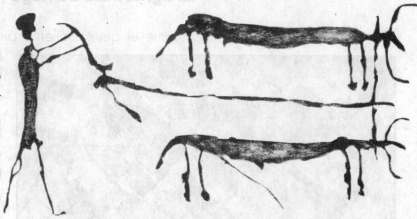

Este grabado rupestre es una de las más antiguas representaciones del arado.

Fue hace unos 5 mil años cuando la agricultura se convirtió en la actividad principal de los habitantes de Mesoamérica y las aldeas se multiplicaron en la región. Al principio casi todas las aldeas eran muy pequeñas, formadas por unas cuantas familias, pero al paso del tiempo algunas prosperaron y llegaron a tener varios cientos de habitantes.

Una de las razones del progreso y la extensión de la agricultura en Mesoamérica fue la variedad de vegetales silvestres que nuestros antepasados aprendieron a cultivar. Probablemente los primeros fueron la calabaza y el aguacate y poco tiempo después se sembraban también maíz, chile y amaranto. El frijol fue el último en ser cultivado.

Uno de los secretos del progreso de la agricultura fue la selección de las semillas. Los primeros campesinos escogían los granos más sanos y más grandes y los volvían a sembrar.
Así se fue mejorando el rendimiento de las cosechas. La ilustración te muestra el aumento en el tamaño de la mazorca del maíz en Mesoamérica, desde que era una planta silvestre hasta la que se cultivaba antes de la llegada de los españoles.

ACTIVIDAD

En un planisferio localiza las siguientes regiones: norte de África, Europa, China, India, Mesoamérica y América del Sur y dibuja los productos que se cultivaban en cada una cuando el hombre aprendió la agricultura.

Actualmente esos productos se cultivan en muchas partes del mundo.

• ¿Cuáles se cultivan en nuestro país?
• ¿Cómo crees que llegaron a México, si no se cultivaban originalmente en nuestro territorio?
• ¿Cuántos granos de maíz se obtienen al sembrar una semilla? Investiga y experimenta.

La calabaza y el chile se cultivan en Mesoamérica.

La agricultura de riego

Durante el quinto milenio antes de Cristo los campesinos de Asia Menor lograron un enorme avance en las técnicas agrícolas, cuando aprendieron a construir represas y canales para conservar el agua y conducirla hasta las tierras de cultivo. Por esa misma época se empezó a utilizar también el arado. Ese sencillo invento permitió aprovechar mejor la tierra y evitar su agotamiento rápido.

El riego y las nuevas técnicas provocaron una cadena de cambios en las formas de vida de los campesinos. El rendimiento de los cultivos aumentó y se sembraron mayores superficies. Con alimento suficiente, la población de las aldeas creció y algunas de ellas llegaron a sobrepasar los 5 mil habitantes.

Catal Huyuk es una de las primeras ciudades que existieron. Era pequeña y se encuentra en la actual Turquía. Esta maqueta, basada en las excavaciones de los arqueólogos, nos ayuda a imaginar cómo era la ciudad. Obsérvala y te darás cuenta de algo raro: ¡no tenía calles! Sus habitantes usaban escaleras y caminaban por los techos. Luego cada quien bajaba tranquilamente al patio de su casa.

▶ En esta ilustración, el pintor imagina una escena en una aldea avanzada, en la que han aparecido los oficios y las ocupaciones especializadas.

La organización social también cambió, porque para planear, construir y utilizar un sistema de riego, aunque sea pequeño, es necesario el trabajo coordinado de todos los campesinos de una aldea. Por esa razón aumentó la autoridad de los jefes o los grupos dirigentes, quienes distribuían las tareas y los productos del trabajo entre los pobladores.

Al contar con mayor cantidad de alimentos ya no era necesario que todos los habitantes de la aldea se dedicaran al cultivo de la tierra o al cuidado de los animales. Algunos se especializaron en los oficios de la alfarería, la carpintería o la construcción. Otros defendían la aldea de sus vecinos ambiciosos y otros más realizaban los ritos de las religiones primitivas.

Se perfecciona la construcción de casas.

Se hacen edificaciones especiales para honrar a los muertos.

La especialización del trabajo trajo consigo nuevos progresos materiales. En aquella época tienen su origen objetos que forman parte de nuestra vida diaria: las camas y las sillas, la ropa tejida de algodón o de lino, el calzado, los adornos personales como los aretes y también los primeros juguetes.

En América ocurrió algo parecido, más tarde que en el viejo mundo y con distintas técnicas agrícolas, pues en nuestro continente todavía no se usaba el arado en esa época. Un ejemplo es el Valle de México, donde hoy viven cerca de 20 millones de personas y que en el cuarto milenio a.C. estaba casi cubierto por lagos. Ahí, aprovechando los regadíos y la siembra en chinampas, se desarrollaron aldeas como Culhuacán, que llegó a tener unos 7 mil habitantes.

En América del Sur, en las tierras altas de los Andes, los agricultores construyeron represas en los ríos que bajan de la cordillera. A los cultivos que se practicaban en Mesoamérica ellos agregaron el de la papa, uno de los de mayor valor nutritivo.

Primitivo juguete de barro. En los mercados de pueblos y ciudades de México todavía puedes encontrar cosas parecidas.

ACTIVIDAD

Contesta en tu cuaderno:

- ¿Por qué fue tan importante que la humanidad aprendiera a sembrar y a cultivar las plantas?
- ¿Cómo habría sido la vida humana sin ese descubrimiento?
- ¿Cómo viviríamos actualmente?

Divide una página de tu cuaderno en dos columnas. En la de la izquierda anota las características que recuerdes de la vida nómada: vivienda, formas de conseguir alimentos, formas de prepararlos e instrumentos de trabajo. En la columna de la derecha anota lo que recuerdes sobre esos puntos de la vida sedentaria.

Compara los datos de las dos columnas.

La papa se cultivó en la fría zona andina. Fue muy importante porque a diferencia del maíz resiste temperaturas muy bajas.

En las ciudades se produce una gran variedad de objetos.

En América del Sur se desarrolla la cerámica.

2500 a.C.

El nacimiento de las ciudades

Algunas regiones del planeta tienen ventajas especiales para la agricultura: en ellas hay grandes extensiones de tierra fértil y ríos caudalosos que regularmente proporcionan agua para el riego.

Una de esas regiones es Mesopotamia, que en lengua griega significa "tierra entre ríos", porque está situada entre los ríos Tigris y Éufrates, en lo que actualmente es Irak.

El agua de esos ríos fue aprovechada mediante complicados sistemas de canales, que hicieron posible el cultivo de miles de hectáreas. La alta producción agrícola y la necesidad del trabajo colectivo provocaron una mayor concentración de la población, el aumento de la riqueza y el desarrollo del comercio en gran escala con regiones alejadas. Fue así como algunas grandes aldeas se convirtieron en las primeras ciudades.

Reconstrucción de una aldea fortificada encontrada en Dimini, Grecia, y que se cree que estuvo habitada hace unos 7 mil años.

Es probable que la más antigua de las ciudades sea Uruk, en el sur de Mesopotamia, pero muy pronto crecieron otras igualmente importantes en las cercanías, y después en otras regiones del mundo que ofrecían condiciones favorables.

Las grandes ciudades tenían una población de unas decenas de miles de habitantes, lo que parece poco comparado con la población de los centros urbanos en la actualidad. Sin embargo, la importancia de las primeras ciudades no estaba solamente en su tamaño. En ellas se construyeron grandes obras públicas y se desarrollaron la ingeniería y la arquitectura. Ahí surgieron poderosos grupos militares y religiosos, que concentraron el poder de gobernar. También se originaron las ciencias y, sobre todo, ahí nacieron la escritura y las matemáticas.

La aparición de las ciudades marca el final de la prehistoria y, con el surgimiento de las grandes civilizaciones agrícolas, se inicia propiamente la etapa histórica de la humanidad.

Piedras como ésta se utilizaron para contar y son el antecedente de la escritura y la aritmética.

Comercio entre los primeros centros urbanos.

ACTIVIDAD

En las lecciones 1 y 2 has estudiado un periodo muy largo de la historia de la humanidad. Para que te formes una idea de la duración de ese periodo, realiza las siguientes actividades:

- Con papel elabora un rectángulo que mida 104 cm de largo y 10 cm de ancho.
- Traza una línea a lo largo del rectángulo y marca intervalos de 2 cm.
- Cada espacio representará un milenio, es decir, mil años.
- Cuenta los espacios de derecha a izquierda (no olvides que cada espacio representa mil años) y marca el punto que representa la fecha en que, según se dice, nació Cristo. Recuerda que, en nuestro calendario, esa fecha es el punto de partida para contar los años hacia adelante y hacia atrás.
- Marca aproximadamente el punto en el que se localizará el año actual.
- En seguida, localiza sobre las líneas los siguientes hechos:

    - 50 mil a.C.: aparición del *homo sapiens.*
    - 40 mil a.C.: los seres humanos inician su paso de Asia a América a través del estrecho de Bering.
    - 20 mil a.C.: establecimiento de grupos humanos en el territorio de lo que hoy es México.
    - 15 mil a.C.: inicio del poblamiento de América del Sur.

    - 10 mil a.C. a 5 mil a.C.: el hombre aprende la agricultura.
    - 5 mil a.C.: la agricultura se convierte en la actividad principal de Mesoamérica.

Calcula:

1. ¿Cuántos años han pasado aproximadamente desde que apareció el hombre hasta la actualidad?
2. ¿Cuántos años pasaron desde que apareció el hombre hasta que inició el poblamiento de América? ¿Cuántos hasta que inició el poblamiento de lo que hoy es México? Marca con colores distintos barras que abarquen estos periodos.
3. ¿Cuántos años tardó la humanidad para aprender a sembrar y a cultivar plantas? Marca con otro color este periodo.
4. Desde la aparición del hombre hasta el surgimiento de las primeras aldeas y ciudades, ¿cuánto tiempo transcurrió?
5. Marca con un color el periodo que corresponde a nuestra era (desde el nacimiento de Cristo hasta que tú naciste). ¿Cuántos años abarca? ¿Qué parte representa de la línea que trazaste?

Si realizaste la actividad con cuidado, te habrás percatado de que los casi 2 milenios de nuestra era representan una parte muy pequeña, menos de 2/52 del largo tiempo que ha pasado desde la aparición del hombre hasta la actualidad.

Se construyen grandes monumentos de piedra en Europa.

Pirámides de Gizeh, en Egipto.

Las civilizaciones agrícolas del viejo mundo

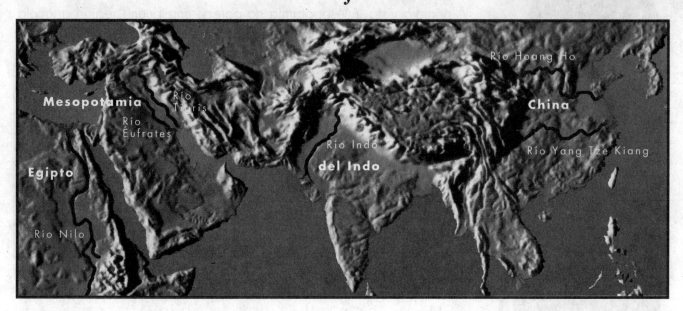

▲ *Localización de las primeras civilizaciones.*

De las ciudades a los imperios

Durante el cuarto milenio a.C. nuevas ciudades se desarrollaron en cuatro regiones del viejo mundo, donde las condiciones eran muy favorables para la agricultura en gran escala. Como ya has visto, la primera de esas regiones fue Mesopotamia. Después fue Egipto, en las márgenes del río Nilo, así como la planicie regada por el río Indo, en el actual territorio de Pakistán e India. Más tarde fue China, en los valles y llanuras cercanos a los ríos Hoang Ho, también llamado Amarillo, y Yang Tze Kiang. El mapa te indica con color verde la ubicación de esas civilizaciones.

Durante un tiempo las ciudades de cada región fueron independientes entre sí. Más tarde algunas de ellas se volvieron más fuertes y conquistaron extensos territorios, hasta formar imperios poderosos sometidos a la autoridad de un solo grupo gobernante.

Antes de que estudies los principales avances alcanzados en esas civilizaciones, te será útil conocer algo sobre cada una de las cuatro regiones.

Los egipcios emplearon el arado de madera, muy parecido a los que todavía hoy se usan en muchos lugares de nuestro país.

Primeras ciudades en Mesopotamia.

Los sumerios de Uruk utilizan la escritura.

Mesopotamia

A primera vista, Mesopotamia no parece una buena región agrícola, pues su clima es seco y caliente. Sin embargo, cuando llega la época de las lluvias y el hielo se derrite en las lejanas montañas del norte, los ríos Tigris y Éufrates crecen e inundan las llanuras. Las obras de riego y almacenamiento permitieron controlar las inundaciones y establecer una de las zonas de cultivo más grandes y productivas del mundo antiguo.

La civilización de Mesopotamia no fue obra de un solo pueblo. A lo largo de 4 mil años, pueblos de distintos orígenes

Obreros asirios construyendo un palacio.

dominaron la región y fundaron reinos y ciudades deslumbrantes, como Ur en el extremo sur, Babilonia en la parte central y Nínive, la capital de los guerreros asirios, en el extremo norte.

Código de Hammurabi, el más antiguo sistema de leyes conocido. Lo mandó inscribir en piedra el rey Hammurabi de Babilonia.

▶ *Zigurat de la ciudad de Ur, templo en forma de pirámide construido con barro cocido y cañas.*

Se desarrolla la escritura jeroglífica en Egipto.

Egipto se unifica bajo el mando del primer faraón.

Egipto

Los historiadores antiguos decían que la civilización egipcia era un regalo del río Nilo, es decir, que existía gracias a que las aguas del río regaban y fertilizaban una tierra que de otra manera hubiera sido un semidesierto estéril y pedregoso.

La civilización egipcia se desarrolló en las márgenes del río, a lo largo de más de 1000 kilómetros. Hacia el año 3200 a.C. las aldeas y ciudades de esa región fueron unificadas bajo el mando de un solo grupo, encabezado por el *faraón*, que tenía las más altas funciones militares y religiosas.

Los faraones heredaban el poder a sus descendientes. Esas familias de gobernantes se llaman dinastías y algunas de ellas gobernaron el reino durante varios siglos.

▶ *Retrato de la reina Nefertiti, que vivió hace más de 3 mil años.*

▼ *Campesinos cosechando trigo.*

▲ *Igual que otros pueblos, los egipcios creían que las personas vivirían de nuevo después de la muerte. El cuerpo de los gobernantes era guardado en estos lujosos ataúdes de madera, llamados sarcófagos.*

Se emplean carros de ruedas en Mesopotamia.

Se utilizan los primeros barcos en el Nilo.

Un poderoso emperador chino mandó hacer un ejército de soldados de arcilla, para que lo acompañaran en su tumba. Las piezas son de tamaño natural y se han encontrado unas 7000. Esto te da una idea de la autoridad que se les concedía a los grandes guerreros.

▶ *Este rinoceronte muestra el dominio alcanzado por los artistas chinos en el uso del bronce.*

La civilización del Indo

El río Indo desciende de las montañas del Himalaya y al acercarse al mar se divide en varios brazos que riegan una extensa llanura.

Hacia el año 3 mil a.C. se desarrollaron las primeras ciudades de esa región. En las ruinas que han sido exploradas se encuentran casas amplias y cómodas, murallas y servicios como el drenaje.

A diferencia de otras civilizaciones, la del Indo no tuvo continuidad. Hacia el año 2 mil a.C. las ciudades fueron abandonadas, tal vez conquistadas por pueblos guerreros o a consecuencia de cambios del clima y el agotamiento de las tierras de cultivo.

Otros pueblos ocuparon después el inmenso territorio de la India y desarrollaron una civilización variada y llena de rasgos originales, muchos de los cuales se conservan hasta el presente.

Sacerdote indio.

China

Las aldeas y ciudades agrícolas aparecieron en los valles del Hoang Ho y Yang Tze Kiang desde tiempos muy remotos, pero el territorio chino sólo se unificó hacia el año 1700 a.C. bajo el mando de la dinastía Shang.

La región cultivada por el pueblo chino es lluviosa. Con extensas obras de riego fue posible producir abundantes cosechas de cereales, especialmente de arroz y sorgo.

Debido a su lejanía, el pueblo chino desarrolló su cultura con muy pocas influencias externas. Su organización política tuvo continuidad durante mucho más tiempo que las otras civilizaciones agrícolas, pues el gobierno imperial perduró hasta principios del siglo XX.

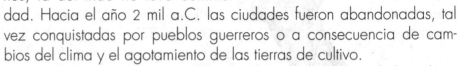

Se generaliza la fabricación del bronce.

Se construyen la Esfinge y las grandes pirámides de Egipto.

2500 a.C.

2400 a.C.

Los aspectos comunes de las civilizaciones agrícolas

Las formas de vida y las culturas en cada civilización fueron distintas entre sí. Sin embargo, existieron formas de organización y de progreso técnico y científico muy importantes, que se desarrollaron de manera parecida en las cuatro regiones. Vamos a estudiar esos aspectos comunes: la organización social, la escritura, las matemáticas y el avance de las técnicas.

Un comerciante pesa su mercancía.

La organización de la sociedad

La existencia de las civilizaciones agrícolas dependía de actividades colectivas, en las que participaron miles de hombres: la producción agrícola, la construcción de grandes obras, las ceremonias religiosas, la defensa del territorio y las expediciones de conquista. Estas actividades eran dirigidas por grupos de guerreros y sacerdotes, que contaban con la fuerza y la autoridad para mandar sobre el resto de la sociedad.

Uno de los primeros oficios fue la carpintería. El grabado muestra a un artesano egipcio usando un taladro.

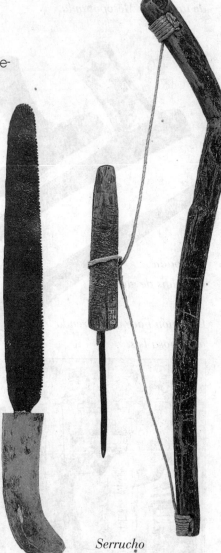

Construcción de las grandes pirámides.

Serrucho y taladro egipcios con mango de madera.

Apogeo de la civilización del Indo.

Primeros escritos sobre medicina en Egipto y Sumeria.

Escultura en bronce de un rey de Mesopotamia.

Los jefes militares eran un grupo social poderoso, pues las guerras eran frecuentes debido a rivalidades entre las ciudades y a la amenaza de los pueblos nómadas. Las expediciones de conquista, que proporcionaban riquezas, tributos y cautivos, daban a los dirigentes una gran autoridad, que seguían ejerciendo en tiempos de paz.

El poder de los sacerdotes también era muy grande. Los hombres de aquella época no podían explicarse por medio de la razón los fenómenos de la naturaleza, ni los hechos de la vida, como la salud y la muerte. Por eso creían que todo lo que sucedía se debía a la intervención de dioses que gobernaban a la naturaleza y al destino humano. Los sacerdotes organizaban las ceremonias y las ofrendas para cada dios, con la creencia de que así ganaban su buena voluntad para el reino y para los que vivían en él.

Tableta para medir el nivel de agua del Nilo.

La influencia de los sacerdotes se debía también a sus conocimientos. Observaban el movimiento de los astros para elaborar los calendarios, aplicaban las matemáticas en el diseño de las construcciones, conservaban el conocimiento médico y, sobre todo, sabían leer y escribir.

▲ *Espada y hachas de guerra.*

El faraón hace una ofrenda a la diosa Isis.

ACTIVIDAD

En un mapa del mundo, con la división política actual, identifica y colorea los países que actualmente ocupan los territorios donde se desarrollaron las primeras civilizaciones agrícolas y dibuja los ríos que atraviesan esos territorios.

Reflexiona: ¿por qué las primeras grandes civilizaciones se desarrollaron a la orilla de los grandes ríos?

Dinastía Shang. China se unifica.

Civilización de los arios en India.

1600 a.C.

1400 a.C.

La escritura

La invención de la escritura es la más valiosa aportación de las civilizaciones agrícolas. Es tan importante, que se considera que la prehistoria termina y la historia empieza cuando el hombre aprende a escribir.

Los pueblos de las cuatro grandes civilizaciones crearon sus propios sistemas de escritura, en los que utilizaron signos y reglas distintos. Unos escribían de arriba hacia abajo, otros de derecha a izquierda, otros de izquierda a derecha, como lo hacemos nosotros. Se escribía sobre distintos materiales: tablillas de barro fresco en Mesopotamia, tela de seda en China, tiras hechas de una planta llamada papiro en Egipto, placas de cobre en India.

Escritura india.

Las primeras formas de la escritura tenían el propósito práctico de registrar listados, por ejemplo de los bienes de una persona o de los productos de una cosecha. Se inventaron símbolos que de manera simplificada representaban un objeto o una acción. Más adelante se combinaron estos símbolos para formar oraciones completas. Como comprenderás, la escritura era muy difícil, porque se necesitan casi tantos signos como las cosas que se querían expresar. Se calcula que una de las formas más antiguas de la escritura, la de los sumerios que vivían en Mesopotamia, llegó a tener 9 mil signos distintos.

Jeroglífico egipcio.

Escriba egipcio.

Escritura china.   *Tablilla sumeria.*

Desarrollo de la metalurgia del hierro.

Toma forma la religión de los judíos.

Con el tiempo, el número de signos se redujo y se inventaron nuevas formas de combinarlos. Eso hizo posible que se redactaran leyes, narraciones, libros de medicina y muchos otros tipos de textos. Sin embargo, escribir seguía siendo complicado, porque había centenares de signos y de reglas para usarlos. La escritura y la lectura eran un trabajo de especialistas, llamados escribas, que estudiaban en los templos durante 10 o 15 años para dominar su oficio.

Pasaron muchos siglos para que se inventara un nuevo sistema de escritura, en el cual los signos solamente representan sonidos. De esta manera, usando entre 20 y 30 signos, es posible escribir cualquier cosa. Este adelanto se lo debemos a los fenicios, un pueblo de navegantes y comerciantes de Asia Menor, que desarrolló la escritura alfabética aproximadamente en el año 1000 a.C. El sistema inventado por los fenicios fue mejorado por los griegos y en él se basa el alfabeto que actualmente usamos para escribir y leer el español.

Barco fenicio.

Escritura fenicia registrada en el pecho de la estatua de un faraón.

jmꜥnꜣ·ll(ai)	"jll ll	g(ué)rj	m(ai)	jrll
No conozco el	sueño	de noche	ni de	día.

Traducción de un jeroglífico egipcio.

ACTIVIDAD

¿Por qué la invención de la escritura tardó muchísimos años?
- Imagina que tú y tus compañeros viven en alguna sociedad antigua en la que aún no existe una forma para escribir conocida por todos.
- En pequeños grupos inventen algunos símbolos o dibujos para escribir un mensaje breve.
- Intercambien sus mensajes y traten de leerlos.

¿Pudieron entender el mensaje de sus compañeros?, ¿por qué?, ¿qué necesitarían saber para entenderlos?

Los fenicios inventan el alfabeto fonético.

Los chinos desarrollan el tejido de la seda.

Las matemáticas

Del mismo modo que la escritura, las matemáticas se inventaron para resolver problemas prácticos: contar el ganado, registrar el peso de una cosecha o medir el largo de un canal. Fue así como el hombre desarrolló las operaciones fundamentales que tú conoces.

Con el progreso de las civilizaciones agrícolas, las matemáticas se fueron aplicando a problemas más complicados: medir la superficie de terrenos con distintas formas o estimar el número de ladrillos necesarios para la construcción. Así como nosotros, aquellos hombres simplificaban el trabajo de cálculo y elaboraron tablas de multiplicar. También hicieron listas con los resultados de las sumas de las fracciones más comunes.

Escuadra y plomada egipcias.

▲ *Esta tableta de arcilla de Mesopotamia es uno de los más antiguos materiales para la enseñanza que se conocen. Su propósito era explicar el cálculo de los triángulos equiláteros.*

Las técnicas

Muchos de los aparatos simples y de los materiales que todavía utilizamos tienen su origen en esas viejas civilizaciones.

Uno de los grandes avances fue el perfeccionamiento de las técnicas para fabricar objetos de metal: con el oro se hacían adornos lujosos, pero fue más importante el uso del cobre, al que se le dieron muchas aplicaciones prácticas. Como el cobre no es muy resistente, los artesanos descubrieron que agregándole estaño aumentaba su dureza: a esa combinación se le llama bronce y durante largo tiempo fue el metal más usado, no sólo por las civilizaciones agrícolas, sino también por los pueblos guerreros dedicados al pastoreo.

Molde para fundir metales.

▲ *La habilidad para medir y hacer planos a escala estaba muy desarrollada en Mesopotamia. Este plano es de la ciudad de Nippur; las excavaciones de los arqueólogos demostraron que la representación es exacta.*

Los fenicios colonizan el oeste del Mediterráneo.

Uno de los primeros ejemplos del uso de la rueda es este carro militar, que proviene de Mesopotamia. Es arrastrado por onagros, especie de asnos domesticados antes que el caballo.

Aproximadamente en el año 1000 a.C., en distintas regiones los hombres aprendieron a trabajar el hierro, que tiene la ventaja de ser más resistente y abundante. Con él fabricaron armas y herramientas muy superiores a las que habían existido hasta entonces.

Un invento notable fue el de la rueda, que produjo grandes cambios en la vida diaria. Los carros con dos ruedas, jalados por distintos animales de tiro, se utilizaron para el transporte y para la guerra en todas las antiguas civilizaciones. Como sabes, la rueda no sólo sirve en el transporte, sino que es una pequeña máquina que tiene muchos usos: en las perillas de las puertas, en las llaves del agua y en los engranes de la maquinaria.

Los pueblos que vivían cerca del mar aprendieron a dominar la fuerza del viento. Los barcos mixtos, que usaban velas y largas filas de remos, se convirtieron en el medio común de transporte y comercio en los mares.

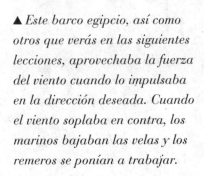

▲ *Este barco egipcio, así como otros que verás en las siguientes lecciones, aprovechaba la fuerza del viento cuando lo impulsaba en la dirección deseada. Cuando el viento soplaba en contra, los marinos bajaban las velas y los remeros se ponían a trabajar.*

ACTIVIDAD

Después de leer esta lección, ¿podrías identificar las semejanzas y diferencias que existen entre las primeras aldeas y los pueblos de las grandes civilizaciones agrícolas?

Redacta un texto. Para hacerlo puedes consultar la lección 2 y repasar la lección 3.

Empiezan a utilizarse las monedas.

Predicciones de eclipses en Babilonia.

La herencia cultural

Lo que has aprendido sobre las civilizaciones agrícolas ocurrió a lo largo de 4 mil años. Para que tengas una idea de lo que significa una etapa tan prolongada, fíjate en que es el doble del tiempo que ha transcurrido desde el nacimiento de Cristo hasta nuestros días.

Durante esos 4 milenios, se formaron grandes reinos, que luego fueron derrotados por pueblos menos civilizados, pero más fuertes. Hubo épocas de paz y prosperidad, otras de destrucción y guerras constantes. Sin embargo, la humanidad conservó los conocimientos y los avances de los pueblos de las civilizaciones agrícolas. Cuando los egipcios o los chinos fueron invadidos y dominados por grupos humanos más atrasados que ellos, los vencedores acabaron por aprender y transmitir los conocimientos de los vencidos.

La sabiduría y los adelantos técnicos logrados por las civilizaciones agrícolas, perfeccionados después por otros pueblos, son el origen de mucho de lo que hoy sabemos y podemos hacer. Por eso los historiadores dicen que Mesopotamia y Egipto, India y China, fueron la cuna de la civilización.

Estos juguetes de la región del Indo fueron hechos hace unos 4 mil años. ¿Puedes imaginar cómo se usaban? ¿Verdad que hay juegos que no han cambiado?

▼ *Bajorrelieve de un león en ladrillo vidriado, procedente de la ciudad de Babilonia.*

Apogeo de Babilonia.

El Partenón, en Atenas.

Los griegos

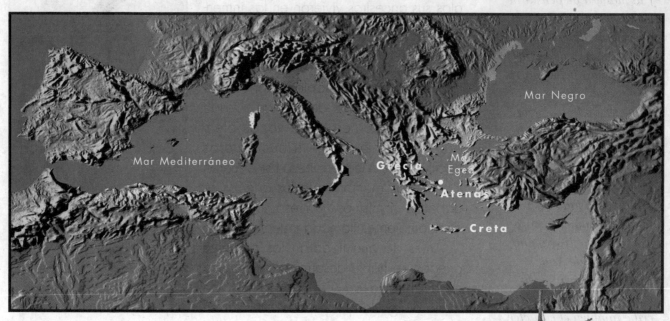

El antiguo mundo griego (s. VI a.C.).

Entre todas las civilizaciones de la antigüedad, la de los griegos es la que más influencia ha tenido sobre la historia humana. Gran parte de lo que aprendes en la escuela, los derechos que tendrás como ciudadano, la poesía que lees y muchas palabras que usas todos los días tienen su origen en las ideas, el lenguaje y las formas de vida que los griegos desarrollaron hace unos 2500 años.

El origen de los griegos

El mapa te muestra el territorio que los griegos fueron poblando a lo largo de su historia. Fíjate bien, porque lo que actualmente es Grecia es sólo una parte del antiguo mundo griego, que se extendía por las costas de Asia Menor y del sur de Italia. Por eso se distingue entre la península, a la que llamamos Grecia Continental y las ciudades de las islas y las costas del mar Mediterráneo, a la que llamamos Grecia Marítima.

Barco de carga, impulsado por vela y remos.

Apogeo
de la civilización
cretense.

1600 a.C.

Conocemos las costumbres y la manera de pensar de los primeros griegos porque fueron descritos en La Ilíada, *una de las primeras y más bellas narraciones que se han escrito, y que según la tradición fue obra de Homero, un poeta ciego.*

La Ilíada *cuenta cómo los guerreros griegos, haciendo a un lado sus rivalidades, se unieron para conquistar a Troya, una rica ciudad de Asia Menor. Al narrarnos la guerra, Homero nos describe también el carácter de aquellos guerreros orgullosos y vengativos.*

Los griegos no eran originarios de ese territorio, pues durante muchos siglos sus ancestros vivieron en las inmensas llanuras que en la actualidad son parte de Ucrania y de Rusia. Se dedicaban a la ganadería y su cultura era simple, aunque ya sabían fabricar herramientas y armas de bronce. Desde esa región partieron, en varias oleadas, migraciones de tribus enteras hacia el mar Mediterráneo. Estos fueron los helenos, nombre que los griegos se daban a sí mismos; por eso su civilización también es llamada helénica.

Antes de que llegaran los primeros griegos, se había desarrollado una cultura avanzada en Creta, una isla de forma alargada que puedes localizar en el mar Egeo. Los cretenses fueron un pueblo pacífico de navegantes, que aprendieron de las culturas de Egipto y de Oriente y que construyeron ciudades y complicados palacios. Su civilización desapareció repentinamente, probablemente a consecuencia de terribles terremotos, que siempre han sido comunes en esa zona.

Los adelantos de los cretenses fueron aprovechados por los habitantes de la península, a quienes se conoce como micénicos, por el nombre de Micenas, ciudad amurallada que fue su población más importante. Esta civilización estaba prosperando, cuando los primeros invasores griegos conquistaron su territorio.

Los invasores fundaron pequeños reinos, dedicados a la agricultura, al comercio marítimo y a la piratería. Cuando podían organizaban expediciones militares para apoderarse de la riqueza de ciudades prósperas.

La pesca fue una actividad fundamental de los pueblos que habitaron las islas del mar Egeo.

La Puerta de los Leones, entrada a la ciudad amurallada de Micenas.

Daga micénica de oro, plata y bronce.

Destrucción
de las ciudades
de Creta.

1450 a.C.

Civilización
micénica.

1300 a.C.

La expansión de los griegos

Las características de la península griega explican por qué la vida de sus habitantes fue tan distinta a la de otros pueblos. La mayor parte del territorio es quebrada y pedregosa; las buenas tierras agrícolas son escasas, adecuadas para plantar la vid y el olivo, pero no para sembrar cereales como el trigo. El mar siempre está cerca, sobre todo en la parte sur, en la cual se forman pequeñas penínsulas que entran en el mar como los dedos de la mano.

Paisaje de la costa griega.

Debido a que no podían depender de la agricultura, los griegos desarrollaron una gran habilidad como navegantes y constructores de barcos. Las naves griegas cruzaban el mar Mediterráneo y se aventuraban por el Mar Negro, transportando la cerámica, las armas, el vino y el aceite de oliva que se producían en Grecia. Al regreso llevaban trigo y otros artículos escasos en su región de origen.

El intercambio comercial era muy intenso, pues los griegos competían con los fenicios, los etruscos y otros pueblos navegantes. Para que su población pudiera crecer, los griegos colonizaron las islas y las costas de Europa, Asia Menor y África y fundaron ciudades cuyos habitantes conserva-

El aceite de oliva se extraía prensando las aceitunas con dos piezas de madera, una fija y otra móvil de la que se colgaba un saco con piedras o algunos hombres.

ron la lengua y las costumbres de su tierra. Varias de estas ciudades fueron tan grandes y tan importantes como las de la península.

Fue en ese tiempo cuando se empezó a utilizar un invento que tendría grandes consecuencias: las monedas. Hasta entonces, se comerciaba cambiando unos artículos por otros, lo cual, como te puedes imaginar, era muy complicado. Con las monedas de oro y plata se podía establecer el valor de los productos y de los bienes, como los terrenos. Así, comprar y vender todo tipo de cosas se hizo mucho más sencillo.

Tribus arias invaden Grecia.

Las ciudades-Estado

Nobles griegos camino de la guerra.

Tal vez por las características de su territorio, los griegos no formaron un reino unificado bajo una sola autoridad, sino que se organizaron en ciudades independientes, a las que llamaron polis. Cada ciudad tenía su propio gobierno, su territorio y sus colonias.

Las ciudades eran muy distintas entre sí. Esparta y Atenas, dos de las ciudades más importantes, fueron un buen ejemplo de esas diferencias. Esparta estaba gobernada por reyes; sus habitantes estaban organizados bajo una disciplina militar y sus costumbres tenían como modelo la sencillez de la vida campesina. Atenas, por el contrario, era una ciudad bulliciosa, que se había enriquecido con el comercio y la industria. Los ciudadanos elegían a sus gobernantes y la gente estaba acostumbrada a participar en actividades culturales, políticas y religiosas.

▲ *Comerciantes pesando sus mercancías. Escena pintada en un vaso.*

La invasión de los persas

Arquero persa.

A principios del siglo V a.C. las ciudades griegas tuvieron que defender su independencia ante la amenaza del imperio persa. Los persas, que vivían en lo que actualmente es Irán, habían conquistado el enorme territorio situado entre Egipto y las fronteras de la India. Cuando trataron de dominar a las poblaciones griegas de Asia Menor, las ciudades de Grecia se unieron contra los invasores.

Yelmo.

Los persas formaron un gran ejército y atacaron la península griega por tierra y por mar. Los griegos eran inferiores en número, pero sus ejércitos de ciudadanos eran disciplinados y defendían valerosamente su propia tierra. Después de una guerra que duró más de 20 años, los persas fueron derrotados y expulsados del territorio griego.

Guerra de Troya.

El poeta Homero escribe *La Ilíada* y *La Odisea*.

Atenas, la democracia y la esclavitud

Democracia es una palabra griega que significa gobierno del pueblo. Fueron los habitantes de Atenas de los primeros que se organizaron para que las decisiones importantes para toda la ciudad fueran tomadas en asambleas. Éstas eran reuniones de todos los hombres libres nacidos en Atenas, quienes discutían y resolvían los asuntos de la guerra y la paz, las leyes y la aplicación de la justicia.

En las asambleas se elegía a las autoridades, que debían obedecer los acuerdos de la mayoría. Las autoridades duraban poco tiempo en sus funciones, con el propósito de que muchos ciudadanos tuvieran oportunidad de servir como funcionarios. La asamblea castigaba con severidad a los que eran incompetentes y deshonestos.

La diosa Atenea, protectora de la ciudad de Atenas según la mitología griega.

Las Olimpiadas

A pesar de sus diferencias y enemistades, los griegos se sentían unidos por su origen, su idioma y sus creencias religiosas.

Como símbolo de esa unión, cada 4 años celebraban las Olimpiadas. En ellas, atletas de todas las ciudades se enfrentaban en competencias deportivas, que tenían su origen en las actividades de la guerra. En otras competencias, los artistas y los poetas presentaban sus obras ante un público curioso y exigente.

Los triunfadores recibían premios simbólicos, sin valor material, pero pocas cosas eran tan importantes para un griego como el honor de ganar en la Olimpiada.

En el gobierno de Atenas sólo participaban los hombres libres; a las mujeres no se les reconocía el derecho a intervenir en la política. Esta forma de discriminación se conservó en otras culturas durante mucho tiempo, tanto así que en las democracias modernas, las mujeres obtuvieron el derecho a votar hace menos de 100 años.

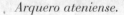

Lanzador de disco.

Arquero ateniense.

Colonización griega en las costas del Mediterráneo.

Los dioses y la mitología

Los griegos creían en muchos dioses y a diferencia de otros pueblos los representaban con forma humana. Se imaginaban que tenían sentimientos y emociones como los de los hombres y que entre ellos había amores, odios y todo tipo de enredos.

La religión y las tradiciones de los griegos dieron origen a una gran cantidad de mitos, a los que llamamos mitología, que son explicaciones y narraciones fantásticas sobre muchos temas: la naturaleza, el origen de los hombres, lo bueno y lo malo de la vida. Esos mitos fueron conservados por los romanos y todavía podemos leer sobre la fuerza de Hércules, la vanidad de Narciso o de cómo Prometeo robó el fuego a los dioses y lo regaló a los hombres.

Los esclavos no participaban en el gobierno de la ciudad. Como en todas las ciudades griegas, en Atenas eran esclavizados los prisioneros de guerra o quienes eran capturados por los piratas. Se les compraba para que realizaran trabajos en las minas y en los campos, como maestros o sirvientes domésticos. La riqueza de los griegos dependía en buena parte del trabajo de los esclavos; los historiadores han calculado que en Atenas había tantos esclavos como hombres libres.

Retrato de una mujer ateniense.

Alejandro y el helenismo

Después de que derrotaron a los persas, los griegos vivieron cerca de 50 años en paz y prosperidad, pero nuevamente la rivalidad entre las ciudades los llevó a la guerra. Se formaron alianzas de ciudades enemigas y estallaron luchas prolongadas y destructivas. Nadie logró un triunfo duradero y todos se empobrecieron y debilitaron.

La división entre los griegos fue aprovechada por Macedonia, un reino guerrero situado al norte de Grecia. Para el año 330 a.C. Filipo, rey de los macedonios, logró imponer su autoridad sobre las ciudades griegas. Los vencedores respetaron los bienes y la cultura de los vencidos, pero la independencia de las ciudades griegas se perdió para siempre.

Cabeza de caballo esculpida en mármol.

ACTIVIDAD

¿Cómo celebraban las olimpiadas los griegos de la antigüedad y cómo se celebran hoy? ¿Qué similitudes encuentras? ¿Qué diferencias? Dibuja como te imaginas que eran las olimpiadas en la Grecia de la antigüedad. Muestra el dibujo a tus compañeros.

Se construyen barcos con tres filas de remos.

Primeros mapas del mundo.

Cuando Filipo murió, su hijo Alejandro se convirtió en rey. La vida y las hazañas de Alejandro parecen una novela. Educado como griego, había cumplido 20 años cuando ocupó el trono. Tenía una gran ambición: conquistar el imperio de los persas.

Pronto Alejandro organizó un ejército de griegos y macedonios. Derrotó a los persas, se apoderó de Egipto y entró en los desconocidos reinos de India, pero sus tropas habían combatido durante 10 años y no quisieron seguirlo más allá. Nunca había existido un imperio más extenso; Alejandro era llamado Magno, que significa "el más grande" y los vencidos lo creían un dios. Entonces enfermó repentinamente y murió. Tenía sólo 32 años.

El imperio no duró mucho, pues los generales más poderosos se repartieron los territorios. Sin embargo, los soldados macedonios y griegos habían fundado numerosas ciudades, mezclándose con las poblaciones conquistadas. La cultura griega se extendió y se combinó con la de otros pueblos. A esa influencia cultural se le llama helenismo y sobrevivió mucho más tiempo que las conquistas militares.

Alejandro Magno derrota a los persas.

▲ *Estatua ecuestre de Alejandro.*

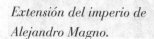

Extensión del imperio de Alejandro Magno.

Obras del matemático Pitágoras.

Surgimiento de la democracia en Atenas.

El nacimiento de la historia y la geografía

Herodoto es el mejor ejemplo de la curiosidad que los griegos sentían por las cosas desconocidas. Realizó largos viajes y en ellos investigaba el pasado de los lugares que visitaba, registraba los rasgos del paisaje, interrogaba a la gente y observaba las costumbres y las formas de vida de cada pueblo. De todo lo que veía y oía tomaba notas cuidadosamente.

Cuando regresó, ordenó sus escritos en largos rollos de pergamino, encerrados en cilindros de cobre y les puso el título de Encuestas. Cuentan que los leía en voz alta en lugares públicos y que maravillaba a la gente con el relato de todo lo que había conocido en lugares lejanos. Por eso se dice que fue el primer geógrafo y el primer historiador.

Las ciencias y el conocimiento

Los primeros científicos de la historia se educaron y trabajaron en las ciudades griegas. Como recordarás, los sacerdotes de Egipto y Oriente lograron grandes avances en las ciencias y las técnicas: descubrieron cómo ocurren muchos fenómenos de la naturaleza y le dieron un uso práctico a sus conocimientos, pero no se preguntaban por qué ocurren los fenómenos.

Relieve que representa la curación de los enfermos.

Los sabios griegos pensaban de otra manera. Trataban de explicarse los hechos de la naturaleza y de saber sus causas. Buscaban explicaciones racionales, es decir, fundadas en argumentos inteligentes y claros, no en mitos o creencias tradicionales. Por eso, un escritor de aquella época comparaba a los griegos con los niños: tenían su misma curiosidad y no se conformaban con respuestas simples.

El filósofo Sócrates.

ACTIVIDAD

Observa con atención el mapa de Grecia Continental y Grecia Marítima. ¿Qué países actuales fueron poblados por los griegos en la antigüedad?

Identifica también los países que fueron ocupados por el imperio de Alejandro Magno. Para hacerlo puedes consultar tu *Atlas de Geografía Universal*.

Los griegos derrotan a los persas en mar y tierra.

Apogeo de Atenas.

Hoy en día los científicos son especialistas que estudian una sola ciencia y algunos investigan durante toda su vida un solo tema. En Grecia era diferente; un científico estudiaba cuestiones distintas y podía ser al mismo tiempo matemático y médico o geógrafo y biólogo. A estos sabios los llamaban filósofos, que quiere decir "los que aman el saber". Con ese nombre se quería señalar su dedicación al conocimiento y el gran placer que encontraban en aprender cosas nuevas.

Platón.

Los primeros filósofos estudiaron a la naturaleza. Los que les siguieron reflexionaron también sobre los problemas de la vida humana y de la sociedad: lo bueno y lo malo, la justicia y la libertad, la felicidad y la muerte. Entre todos esos filósofos, hubo tres cuyas ideas todavía se estudian en las universidades. Ellos fueron Sócrates, su discípulo y amigo Platón y Aristóteles.

▶ *Filósofo instruyendo a su discípulo.*

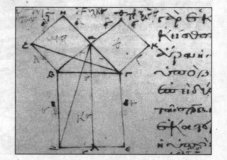

Aristóteles.

El teorema de Pitágoras.

La idea del mundo

Por los escritos de Herodoto, conocemos la idea que muchos griegos tenían del mundo: creían que la Tierra era como un plato y que a su alrededor corría el río Océano. Arriba, en el firmamento, vivían los dioses. Abajo estaba el territorio tenebroso al que iban los muertos.

En el centro del plato estaba el mar Mediterráneo, donde vivían los griegos. En torno al mar vivían otros pueblos civilizados, a quienes los griegos llamaban bárbaros porque no hablaban griego. Conforme uno se alejaba del centro del mundo, los seres humanos eran cada vez más extraños en sus formas y costumbres. En las orillas creían que habitaban fantásticos monstruos: hombres con cabeza de perro, sirenas traicioneras o aquellas serpientes marinas que tanto horror producían a los navegantes.

Esplendor de las artes griegas.

Un estudiante practica la escritura.

Los escritores

Los griegos utilizaban la lectura y la escritura con muchos propósitos: prácticos, como en los negocios; científicos, como en la medicina; o políticos, como en los discursos. También las usaban para expresar ideas y sentimientos; fue así como nació la literatura: la narración, la poesía y el teatro.

Las obras de los grandes escritores griegos se leían con frecuencia en grupo y en voz alta, porque entonces no había libros y los escritos se copiaban a mano, copia por copia. Por eso entre los griegos la literatura era una actividad colectiva.

El teatro fue la forma más popular de la literatura. En todas las ciudades griegas se construyeron teatros, grandes o pequeños, con escenario y con gradas de piedra en semicírculo. En ellos se representaban obras trágicas, que expresaban los sufrimientos de los seres humanos o comedias burlonas e ingeniosas. Los actores usaban máscaras, que correspondían al carácter o al estado de ánimo de los personajes.

La escritura

El alfabeto griego representa con 24 signos los sonidos del habla humana. La sencillez de ese alfabeto ayudó a que la lectura y la escritura fueran comunes entre los griegos.

Observa en la ilustración que los signos que los griegos usaban son muy parecidos a los nuestros, porque son un antepasado del alfabeto que se usa en español, en inglés y francés y en otras lenguas modernas.

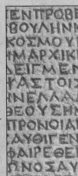

Teatro de Dionisos, en la ciudad de Pérgamo.

Guerra entre
Esparta y Atenas.

Filipo,
rey de Macedonia.

Los artistas

Las ilustraciones que puedes observar en esta lección te muestran la admiración y el gusto que los griegos sentían por las cosas bellas y bien hechas, lo mismo en los objetos de uso común que en los grandes edificios públicos. Los griegos pintaban sobre las vasijas y utensilios de cerámica. En ellos representaban escenas de la vida diaria, mitos y narraciones. Por los colores y el estilo que se empleaba, podemos saber la época y la ciudad en las cuales fueron elaborados.

Las casas de los griegos eran sencillas, pero sus templos y edificios públicos eran impresionantes por su riqueza y belleza. En su construcción trabajaban los arquitectos, escultores y artesanos más notables y sólo usaban los mejores materiales. Las esculturas que representan la figura humana se exhiben actualmente como tesoros en los más grandes museos. Durante muchos siglos, las obras de arte de los griegos fueron el ejemplo de los artistas de Europa. Se consideraba que una escultura o una construcción eran valiosas si se acercaban al modelo que Grecia dejó como herencia.

Estatua de bronce del dios Zeus.

La Venus de Milo.

El Partenón.

Alejandro Magno invade Asia.

Muerte de Alejandro. División del Imperio.

335 a.C.

323 a.C.

Arco del emperador Tito, en Roma.

Los romanos

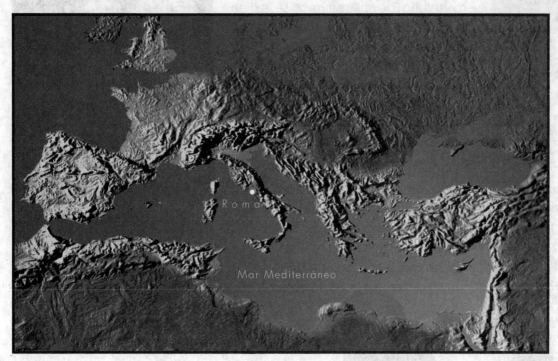

Primeros asentamientos

El imperio romano en su máxima extensión durante el siglo I.

Mientras los ejércitos de Alejandro de Macedonia conquistaban inmensos territorios en Egipto y Oriente, en el centro de la península itálica un pequeño pueblo comenzaba a ganar fuerza: eran los romanos.

Tres siglos después, los romanos eran el pueblo más poderoso del mundo. Por la fuerza de las armas habían conquistado todas las tierras que rodean al mar Mediterráneo y se habían extendido también por el norte de Europa. Roma, su capital, era una gran ciudad que tenía más de un millón de habitantes. Es interesante conocer la historia romana, porque en ella tuvieron lugar cambios y adelantos que ejercieron una gran influencia en la historia de la humanidad. Debes saber, por ejemplo, que el español y otras lenguas modernas tienen su origen en el latín, la lengua de los romanos. Las técnicas de construcción de carreteras y de otros servicios públicos se desarrollaron en aquella época, al igual que la organización de las leyes y la administración del gobierno. Cosas sencillas que forman parte de nuestra vida diaria, como los libros encuadernados, las tuberías y los vidrios de las ventanas fueron usados por primera vez por los romanos.

La tablilla de cera y el punzón que tiene en sus manos esta niña romana son el antecedente del lápiz y el cuaderno. ¿Tienes alguna idea de cómo se usaban esos útiles? Coméntalo con tus compañeros.

Fundación de Roma, según la tradición.

Esplendor de la civilización etrusca.

Pieza de bronce etrusca, con signos de escritura.

La pequeña monarquía

La historia de los romanos se extiende durante 1300 años. A lo largo de esa época tan larga, Roma tuvo tres formas de organización política: primero la monarquía, después la república y luego el imperio.

Roma fue fundada en el siglo VIII a.C. Durante casi tres siglos fue una ciudad modesta, sometida al poder de los etruscos, un pueblo vecino de cultura avanzada, del que sabemos muy poco porque nadie ha podido descifrar su escritura. Roma estaba gobernada por reyes de origen etrusco, pero en el año 510 a.C. los romanos tuvieron la fuerza suficiente para expulsar al último rey y para ser independientes. Decidieron entonces organizar una forma de gobierno en la cual el poder no estuviera en manos de una sola persona. Así nació la república romana.

Representación de un matrimonio etrusco.

Carro de guerra etrusco.

ACTIVIDAD

Lee la "Leyenda de la fundación de Roma":
* ¿Qué diferencia existe entre lo que cuenta la leyenda y lo que cuenta la historia de la fundación de Roma?
* ¿En qué se basa la leyenda?
* ¿En qué se basa la historia?

Fundación de la república romana.

Los romanos se independizaron de la influencia etrusca.

La república

La organización de Roma era muy distinta a la de las repúblicas modernas, pues no elegían a un presidente o a un congreso, ni tenían partidos políticos. El poder lo ejercía el Senado, formado por unas 300 personas, que provenían de las familias más antiguas o más ricas de Roma. El Senado elegía dos funcionarios principales, llamados cónsules, que tenían el mando del ejército y que sólo duraban un año en su puesto.

Los hombres libres de Roma eran ciudadanos, es decir, tenían derecho a la protección de las leyes de la ciudad y a ser consultados sobre los asuntos del gobierno. Sin embargo, no había verdadera igualdad política. Los miembros de las familias más poderosas, llamados *patricios*, tomaban las decisiones importantes y hacían poco caso de los ciudadanos pobres o de condición mediana, llamados *plebeyos*. En una lucha de muchos años, los plebeyos fueron conquistando mayores derechos, entre ellos el de poseer tierras, pero nunca lograron la igualdad total.

Retrato de una noble romana.

Plebeyo vendedor de pan.

◄ *Senadores romanos, bajorrelieve en mármol.*

Los romanos conquistan el centro de la península itálica.

Primeros caminos empedrados.

Las conquistas militares

Durante la república, los romanos se convirtieron poco a poco en un pueblo poderoso. Primero dominaron toda la península itálica. Después, en una serie de guerras que duraron un siglo, destruyeron a su rival, Cartago, y se apoderaron de sus territorios en el norte de África y España. Después conquistaron Grecia y Macedonia, el Asia Menor y Egipto. Más tarde avanzaron hacia los desconocidos territorios del norte y del este de Europa.

En el territorio dominado por los romanos vivían en aquella época unos 50 millones de personas, de culturas y razas distintas. Fíjate en el mapa de esta lección y compáralo con un mapa político actual, para que te des cuenta de cuáles territorios de las actuales naciones modernas fueron alguna vez parte del mundo romano.

Los romanos lograron conquistar esos enormes territorios gracias a su notable organización militar. Su arma más poderosa eran las legiones, formadas cada una por unos 5 mil soldados disciplinados y fuertemente armados que luchaban a pie. También usaban la caballería y grandes barcos de guerra, impulsados por cientos de remeros esclavos.

Si los romanos hubieran luchado solos, no hubieran logrado tantas victorias. Pero muchos pueblos no querían enfrentarse con ellos y se convirtieron en sus aliados. Los romanos les cobraban tributos y les exigían obediencia, pero les permitían conservar sus autoridades y sus costumbres. Los aliados luchaban al lado de los romanos y al paso del tiempo fueron aceptados como ciudadanos de Roma.

Soldados romanos.

La catapulta era una máquina de guerra. Los romanos la utilizaban para lanzar grandes piedras contra los ejércitos y fortificaciones de sus enemigos.

Derechos políticos a los plebeyos.

Se usan elefantes en las guerras entre Roma y Cartago.

c. 290 a.C.

c. 204-150 a.C.

El imperio

Las conquistas militares transformaron la vida y la organización de los romanos. Ahora eran dueños de enormes riquezas obtenidas por el despojo de otros pueblos, recibían tributos y habían convertido en esclavos a cientos de miles de cautivos. Se fundaron decenas de nuevas ciudades, que no aceptaban de buena gana que toda la autoridad estuviera concentrada en Roma. Las formas de organización que habían servido para gobernar una ciudad ya no eran adecuadas para controlar territorios y poblaciones enormes.

Durante el siglo I a.C., surgieron ambiciosos dirigentes políticos que habían obtenido grandes triunfos militares y que ya no reconocían el mando del Senado. Los dirigentes luchaban entre sí, provocando sangrientas guerras de romanos contra romanos. Finalmente uno de ellos, llamado Octavio, derrotó a todos sus rivales en el año 31 a.C., e impuso su autoridad sobre el Senado. Octavio adoptó el nombre de César Augusto y se convirtió en el primer emperador.

La época del imperio duró 500 años.

En los primeros dos siglos, el imperio alcanzó su mayor extensión y una gran riqueza. Después entró en una larga etapa de decadencia y acabó arruinado por los desórdenes internos, las invasiones de pueblos guerreros y los problemas económicos, como se verá más adelante.

César Augusto fue el primero de los emperadores romanos. La estatua lo representa como el gobernante y el militar perfecto.

Los barcos romanos de guerra utilizaban una punta en la parte delantera. Con ella perforaban los barcos enemigos.

Las primeras obras de teatro en Roma.

Acueducto de 92 km.

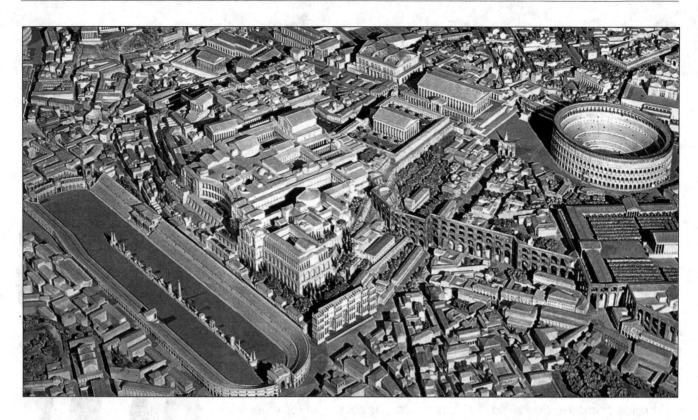

▲ *Así era el centro de la ciudad de Roma en los años de su apogeo. A la izquierda puedes ver el hipódromo, donde había carreras de caballos y carruajes. A la derecha está el anfiteatro, modelo de los modernos estadios*

Gladiadores combatiendo con leones.

Roma, la ciudad imperial

La ciudad de Roma llegó a su máximo esplendor en el primer siglo del imperio. Nunca había existido una ciudad más poblada y a ella llegaban comerciantes, dirigentes políticos, científicos y aventureros de todo el mundo romano.

En la parte central de la ciudad se construyeron templos, edificios de gobierno y monumentos de gran belleza. Había también lujosos baños públicos a los que asistían los ciudadanos de la clase alta para descansar e intercambiar noticias y rumores.

Las construcciones más impresionantes eran los estadios, llamados circos, en los que se podían acomodar hasta 50 mil espectadores. Ahí se celebraban espectáculos violentos y crueles, por los cuales los romanos tenían gran afición: combates a muerte entre luchadores armados, luchas de animales salvajes y agitadas carreras de carruajes tirados por caballos. Los espectáculos eran frecuentes y los luchadores o conductores de más éxito eran tan populares como los deportistas actuales.

La dominación romana se extendió a Asia Menor.

Espartaco, líder de la rebelión de esclavos.

c. 130 a.C.

c. 70 a.C.

Para que una ciudad tan grande pudiera funcionar, se instalaron servicios públicos como el agua potable y el drenaje, la policía y la recolección de basura. Pero no todo funcionaba bien y Roma sufrió problemas parecidos a los de las ciudades modernas. La circulación de los carruajes era tan caótica que en algunas épocas sólo se permitía la circulación de vehículos de carga durante la noche. En los cálidos veranos el agua escaseaba y la basura se acumulaba en los callejones. En los barrios pobres la gente vivía en grandes edificios de departamentos, hechos de madera, en los que eran frecuentes los incendios incontrolables y devastadores.

Carruaje tirado por caballos.

Las técnicas

Los romanos no hicieron grandes descubrimientos científicos, pero en cambio lograron avances notables en la técnica, es decir, en la utilización de las ciencias para resolver necesidades prácticas.

Báscula romana.

Las nuevas técnicas se aplicaron en problemas distintos: la fabricación de barcos, la producción de metales y la agricultura. Pero en lo que más avanzaron los romanos fue en las técnicas de construcción. Ellos fueron los más hábiles ingenieros de la antigüedad y pasaron muchos siglos para que fueran superados.

Las construcciones más notables fueron las obras públicas, como las carreteras y la conducción de agua potable. Ahora parecen obras simples y nos fijamos poco en ellas, pero para construirlas se necesitó una gran capacidad técnica y una enorme cantidad de trabajo.

Un carnicero atiende a su cliente.

Los acueductos

Este acueducto romano se conserva en el sur de Francia. El canal cubierto está en la parte superior del puente. Dentro de la ciudad, el agua era distribuida mediante tuberías de plomo hasta fuentes públicas, en donde la gente obtenía el líquido que necesitaba. Sólo los lugares públicos y las casas más ricas tenían tubería directa.

La técnica de los acueductos se siguió utilizando hasta el siglo pasado. En nuestro país se construyeron muchos, como el de la ciudad de Querétaro.

Conquistas de
Julio César en el norte
de Europa.

Apogeo de la
literatura romana
con Virgilio.

Los caminos a Roma

Los caminos se construían con varias capas de tierra y piedra y tenían mayor elevación que el nivel del suelo, para evitar que las lluvias los dañaran.

La construcción es tan resistente que todavía se conservan grandes tramos en buen estado.

Se calcula que la red de caminos principales medía unos 90 mil kilómetros, que para que te des una idea, equivalen a 60 veces la distancia que hay entre México, D.F. y Ciudad Juárez, Chihuahua.

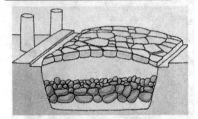

Diagrama que muestra cómo se construían los caminos.

Para conservar el dominio de extensos territorios, los romanos construyeron una red de caminos que comunicaba todo el imperio. Por los caminos circulaban durante todo el año los ejércitos, las carretas de los comerciantes, los mensajeros y los funcionarios.

Tubería de plomo.

Las ciudades romanas necesitaban grandes cantidades de agua pura para el consumo humano. Para resolver ese problema, se construyeron largos canales entubados, que protegían el agua de la contaminación y la llevaban a la ciudad desde ríos y manantiales lejanos. Estos canales se llaman acueductos; algunos son subterráneos, otros cruzan valles y barrancas sostenidos por altos puentes.

La influencia griega

Los romanos no crearon una cultura original, sino que adaptaron y desarrollaron la religión, la ciencia y los estilos artísticos de los griegos. Muchos de los científicos y artistas que trabajaron en Roma se habían educado en Grecia o en Alejandría, que fue el gran centro cultural del helenismo.

Los romanos tuvieron la misma religión que los griegos y sólo cambiaron el nombre de los dioses. Zeus, por ejemplo, el principal dios de Grecia, era llamado Júpiter en Roma.

La escultura y la pintura de los romanos también se inspiran en los modelos griegos, pero se distinguen por una mayor atención a los detalles y por el realismo en la reproducción del rostro y la expresión de sus modelos.

Herreros fabricando un escudo; esculturas inspiradas en modelos griegos.

En Roma estalla la guerra civil.

César, dictador, es asesinado.

El latín y el español

El idioma que hablaban los romanos se llama latín y se utilizó en todo el imperio. En distintas regiones, el latín se combinó con las lenguas habladas por los pueblos conquistados. De esa mezcla se formaron, entre otros, cinco idiomas que actualmente hablan unos 650 millones de personas. Ellos son el español, el portugués, el francés, el italiano y el rumano; se les llama lenguas romances porque son una herencia de Roma.

Plumillas y tintero.

La difusión del cristianismo

Jesucristo nació durante el reinado de Augusto y vivió en Judea, una remota región del imperio situada en Asia Menor. Las ideas religiosas de Cristo tienen su origen en la antigua religión del pueblo judío. A diferencia de otras, esta religión era monoteísta, es decir, sostenía que existe un solo dios.

Los primeros cristianos fueron sobre todo gente pobre; la nueva

Las catacumbas eran refugios subterráneos que los cristianos construían para poder practicar su religión.

religión predicaba la humildad y afirmaba que el sufrimiento y la paciencia de las personas serían recompensadas después de la muerte. Los cristianos se negaban a reconocer a los dioses de los romanos y no aceptaban que el propio emperador fuera un dios vivo. Por esa razón, las autoridades perseguían a los cristianos, quienes tenían que ocultarse para practicar su religión.

El origen del español

Hay palabras del español que hablamos en México que provienen del griego y de las lenguas indígenas del país, pero la mayor parte de nuestro vocabulario tiene su origen en el latín. Fíjate en estos ejemplos.

mater et magistra
madre y maestra

veneris dies
día viernes

manus dextera
mano derecha

lux solis
luz del sol

grandes litteras
letras mayúsculas

César Augusto, primer emperador.

Nacimiento de Cristo. Comienza la era cristiana.

Prédica y muerte de Jesucristo.

No obstante, el cristianismo se extendió por todo el mundo romano. Las clases altas y los gobernantes también lo adoptaron, hasta que en el siglo IV d.C., las persecuciones cesaron y el cristianismo se convirtió en la religión dominante en el imperio. A partir de entonces, permanecería como una de las religiones más importantes de la humanidad.

El Coliseo o circo romano en la actualidad.

El final del imperio

La dominación romana llegó a su mayor extensión a finales del siglo II d.C. A partir de entonces, el imperio tuvo problemas cada vez más graves que acabarían por destruirlo.

Durante el siglo III d.C., pueblos guerreros de Europa, de Asia y de África trataron de invadir los territorios imperiales. Para los romanos, era cada vez más difícil defender sus fronteras. Admitieron en sus ejércitos a todo aquél que quisiera combatir, aunque no fuera romano, y elevaron los impuestos y contribuciones para pagar los gastos de la guerra.

El gobierno fue perdiendo autoridad. La única fuerza organizada era la de los ejércitos, pero en ellos había desaparecido la disciplina. Guiados por ambiciosos jefes, los grupos militares luchaban entre sí, quitaban y ponían emperadores y creaban temor entre la población.

La actividad económica sufrió grandes daños. La producción agrícola disminuyó y la inseguridad afectó al comercio y los transportes. Los alimentos escaseaban y los precios subían continuamente. Mucha gente abandonó las ciudades y se estableció en el campo, donde era más fácil sobrevivir.

Estatua de bronce que representa a un soldado auxiliar.

Moneda de oro del emperador Constantino.

Cristo, pintura en mosaico.

Máxima extensión del imperio bajo el emperador Trajano.

Conflictos entre los militares romanos.

*El emperador Diocleciano
con sus colaboradores.*

En el año 295 d.C., Diocleciano, uno de los últimos emperadores fuertes, decidió que el imperio podría ser mejor defendido si se le dividía en dos partes: el imperio de Occidente, cuya capital fue Roma, y el de Oriente, cuya capital fue Bizancio, que después se llamó Constantinopla.

La reorganización del gobierno mejoró la situación por algún tiempo, pero a finales del siglo IV el imperio de Occidente no resistió más. Los hunos, un pueblo asiático primitivo y temible, invadieron Europa. El terror que provocaban hizo que las tribus germánicas y eslavas abandonaran sus tierras e invadieran el territorio romano. Esta vez, nadie los pudo detener. En el año 476 d.C., el dominio romano en el occidente de Europa terminó definitivamente.

Los bárbaros, como se les llamaba a los invasores, establecieron varios reinos en Europa. Eran pueblos de agricultores y pastores, que no tenían la cultura avanzada de los romanos y griegos. Con ellos empezaba una nueva época histórica: la Edad Media.

Casco de bronce y hierro.

Guerrero huno.

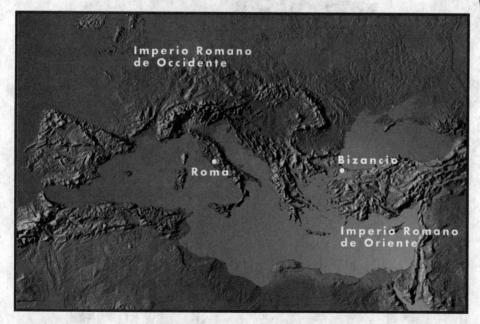

Imperio Romano
de Occidente

Roma

Bizancio

Imperio Romano
de Oriente

*División del imperio romano
por Diocleciano.*

Primeras
invasiones
bárbaras.

El cristianismo,
religión dominante.

Roma
en poder de
los bárbaros.

Castillo feudal, en Alemania.

La Edad Media y el Islam

Reino de Inglaterra.

Reinos de España.

Reino de Francia.

Reinos Germánicos.

Imperio bizantino.

Islam.

En el mapa puedes localizar las regiones ocupadas por las grandes civilizaciones hacia el año 1000. Consulta tu Atlas de Geografía Universal y escribe una lista de países actuales que correspondan a cada una de esas regiones.

¿Qué es la Edad Media?

La Edad Media es la etapa de la historia de Europa que se extiende desde la desaparición del imperio romano hasta finales del siglo XV, cuando los primeros navegantes españoles y portugueses llegaron al continente americano.

Durante esos mil años, tres civilizaciones distintas se desarrollan en los antiguos dominios romanos: en Europa occidental se establecieron los pueblos invasores —germanos, francos y godos— que fundaron reinos y señoríos guerreros. En el sur de Europa y en Asia Menor logró mantenerse el imperio bizantino. Finalmente, a partir del siglo VII se extiende el Islam, la civilización de los árabes de religión musulmana.

Caballero medieval con su dama.

Germanos y visigodos invaden el imperio romano.

Atila y los hunos en Galia e Italia.

Comienza a utilizarse el estribo.

64

LA EDAD MEDIA Y EL ISLAM

La salud y la enfermedad

La conservación de la salud era uno de los problemas más graves en la Edad Media. La gente enfermaba frecuentemente y muchos morían jóvenes a causa de males que en la actualidad se curan en unos días. Además, las epidemias de enfermedades contagiosas eran un azote que despoblaba regiones enteras. Las malas condiciones de higiene aumentaban los riesgos. No existían el agua entubada ni el drenaje, y la gente tiraba la basura en las calles. Los hábitos de higiene personal eran deficientes; el baño era tan impopular, que el rey alemán Federico II tuvo fama de extravagante porque se bañaba casi todos los días. Las mujeres vivían menos que los hombres, pues se casaban muy jóvenes y tenían muchos hijos. Dada la poca higiene, era grande el riesgo de que enfermaran y murieran después de dar a luz. A consecuencia de esas condiciones de vida y del atraso de la medicina sólo una de cada diez personas vivía más de 40 años.

Los reinos europeos

Los tres siglos que siguieron a las grandes invasiones de los bárbaros fueron de un gran desorden. La economía se arruinó a consecuencia de las guerras y la inseguridad. La población disminuyó, debido a la pobreza y a las terribles epidemias. Las ciudades perdieron importancia, porque el comercio casi había desaparecido y era difícil abastecer a grandes poblaciones.

Poco a poco volvió la estabilidad. Los pueblos bárbaros se asentaron en el territorio invadido y se dedicaron a la agricultura y a la cría de ganado. Se volvieron cristianos y adoptaron algunos elementos de la cultura romana, pero conservaron muchas costumbres de su pasado, como la afición a la guerra y la lealtad personal a los jefes militares.

En toda Europa se establecieron reinos y señoríos, que tenían como reyes y gobernantes a los caudillos guerreros y a sus familiares. La existencia de esos reinos era insegura y agitada, ya que las ambiciones territoriales y las disputas por el poder provocaban guerras frecuentes. Hubo algunos reyes excepcionales, como Carlomagno, que gracias a su capacidad militar y política lograron dominar grandes territorios, pero ninguno pudo establecer una autoridad duradera.

El mapa político de Europa en aquella época era muy distinto al de nuestros días. Era como un gran mosaico formado por decenas de dominios independientes, en constante conflicto. Fue hasta el siglo XIV que algunos reinos lograron mayor estabilidad, y dieron origen a lo que actualmente son Francia, Gran Bretaña y España.

Estatua en bronce de Carlomagno.

Combate entre caballeros cristianos y árabes.

Justiniano, emperador de Bizancio.

Grandes epidemias en Europa.

Una sociedad campesina y guerrera

Las tierras de cultivo, los bosques y las praderas eran la posesión más apreciada por los habitantes de Europa. Casi todo lo que la gente necesitaba para sobrevivir lo obtenía de la explotación de las tierras cercanas, pues el comercio era escaso y riesgoso. Por esa razón, el poder y la riqueza de cada persona dependían de la extensión de tierra que tenía bajo su dominio.

La propiedad de la tierra correspondía originalmente a los caudillos que la habían conquistado y a sus descendientes, pero los reyes repartían vastas extensiones entre sus aliados y colaboradores. Éstos, a cambio, debían al rey obediencia y apoyo en caso de guerra. A quienes recibían el derecho de explotar la tierra se les llamaba *señores feudales* y *feudo* al territorio bajo su dominio.

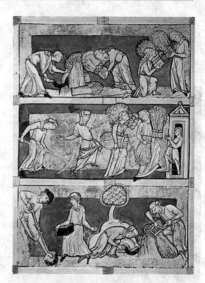

Campesinos sembrando trigo.

Los grandes castillos de la Edad Media servían de residencia a los señores feudales y como fortaleza defensiva durante las guerras. El castillo que ves aquí está en Carcasona, Francia. Gracias a la solidez de su construcción, se conserva intacto ocho siglos después de que fue edificado.

Un señor feudal ayudado por su escudero, se prepara para entrar en batalla.

El papa Gregorio, reorganiza la Iglesia católica.

Prédica de Mahoma en Arabia.

Los reyes y los señores feudales eran los únicos que tenían los recursos suficientes para utilizar la caballería pesada, el arma más poderosa de las guerras de la Edad Media. Eran necesarios grandes caballos de combate, armamento de hierro y sólidas armaduras que cubrían el cuerpo del guerrero. Las armaduras fueron perdiendo su utilidad militar desde el siglo XIV, cuando se introducen en Europa las armas de fuego, capaces de perforar la protección metálica.

Los señores feudales eran el grupo social más poderoso de la Edad Media. Organizaban los ejércitos y poseían las costosas armas de hierro que se usaban en la época. Construyeron por toda Europa grandes castillos y fortalezas, que servían de refugio en momentos de peligro. Los campesinos formaban la gran mayoría de la población. Vivían pobremente, pues no eran dueños de la tierra, sino que trabajaban las propiedades de los señores feudales, a quienes entregaban una gran parte de los productos que obtenían. Los campesinos no eran esclavos, pero no podían abandonar el lugar en el que vivían y debían obtener el permiso del señor feudal en todas las decisiones importantes de su vida. A esa forma de dependencia se le denomina servidumbre y por eso a los campesinos se les llamaba siervos.

Ballesta.   *Mangual, arma para golpear al enemigo.*

▶ *Un ejército de caballería ataca una ciudad.*

Los árabes conquistan España.

Los árabes detenidos en Poitiers, Francia.

El papel de la Iglesia

En medio de tantas divisiones políticas, sólo la Iglesia católica logró mantenerse unida. Los cristianos de Europa reconocían como jefe de la Iglesia al Papa, quien residía en Roma y era representado en cada región por los obispos.

Los reyes eran coronados por las autoridades de la iglesia.

Las creencias religiosas eran muy importantes para los europeos de la Edad Media. Todo estaba influido por la religión: la vida diaria de las personas y sus ideas sobre el mundo natural y la existencia humana, los temas de la literatura y las artes y aun las leyes y la aplicación de la justicia.

Los reyes y la nobleza donaron a la Iglesia grandes propiedades, en las que se construyeron numerosos monasterios que eran centros de vida religiosa, refugios de la población y lugares de actividad económica. Los monasterios cumplieron también una función cultural, pues en ellos se conservaron las bibliotecas de la época. Esto fue muy importante, pues en aquellos siglos hubo un fuerte retroceso educativo y muy poca gente sabía leer y escribir.

Los monjes hicieron de la copia de los libros un arte complicado. La página que ves aquí pertenece a una obra literaria y está ilustrada y escrita a mano. ¿Te imaginas cuánto tardaban en copiar un libro?

◀ *Monasterio de San Miguel, en Francia.*

Carlomagno, emperador.

Retrato de Teodora, emperatriz de Bizancio. Está hecho con pequeños mosaicos de colores.

El imperio bizantino

Mientras en la parte occidental del desaparecido imperio romano se formaban nuevas naciones, el imperio de Oriente sobrevivió otros 1000 años. Como recordarás, su capital era Bizancio, también llamada Constantinopla.

El imperio tuvo épocas de gran prosperidad y otras de grandes dificultades, acosado por pueblos enemigos y por divisiones internas. Bizancio se mantuvo gracias a su disciplinado ejército y su poderosa flota de guerra, pero sobre todo a la riqueza que sus habitantes obtenían del comercio. En el mapa de la página 63 podrás notar que Bizancio tiene una posición geográfica muy ventajosa, pues era vía de paso de las rutas comerciales entre el Oriente y los puertos del mar Mediterráneo.

En Bizancio se desarrolló una cultura propia, diferente del pasado romano. La lengua oficial era el griego –y no el latín– y se creó una forma de cristianismo distinta de la que se practica en el resto de Europa. Su religión, llamada ortodoxa, tiene todavía millones de seguidores en Rusia, Ucrania, Grecia y otros países.

La riqueza de Bizancio hizo posible el esplendor de las artes, como la pintura y la arquitectura. También fue notable el avance en la elaboración y aplicación de las leyes. Hoy en día, quienes quieren ser abogados, estudian en nuestras universidades el Derecho de los bizantinos.

Iglesia bizantina de San Pedro y San Pablo, en Rusia.

El conocimiento de griegos y romanos se conservó en las bibliotecas de Bizancio.

Los árabes utilizan los primeros instrumentos de navegación.

Ataques de los vikingos en Europa.

El nacimiento del Islam

Cuando el imperio romano se derrumbó, la mayor parte de los árabes eran pastores nómadas, que recorrían con sus rebaños los extensos semidesiertos de la península arábiga. Una minoría vivía en las pequeñas ciudades cercanas al Mar Rojo. Los árabes no eran un pueblo rico ni poderoso, hasta que una nueva religión cambió su historia.

Durante siglos se habían desarrollado en el Medio Oriente creencias religiosas distintas entre sí, pero que sostenían la existencia de un solo dios. Como recordarás, entre ellas se cuentan el judaísmo y el cristianismo. Esas creencias eran predicadas por hombres de intensa fe religiosa y gran capacidad para convencer, a quienes se llamaba profetas.

A principios del siglo VII surgió en Arabia un nuevo profeta. Se llamaba Mahoma y afirmaba que un único dios, a quien llamaba Allah, le había comunicado los principios y las leyes de una religión distinta que se llamaría *Islam*, palabra que significa "sometimiento a Dios".

Las ideas de Mahoma convencieron a muchísimos árabes, que adoptaron la religión islámica. Esos creyentes, a quienes se llama musulmanes, creían que era su obligación hacer que otros pueblos se convirtieran al Islam. Con ese propósito y con ambiciones de riqueza y poder se lanzaron a la conquista de los territorios vecinos.

Mahoma instruye a sus seguidores.

Los árabes y las matemáticas

Si no fuera por los árabes, las matemáticas serían distintas y mucho más difíciles. Durante casi toda la Edad Media, en Europa se usaban los números romanos, que seguimos utilizando para identificar los siglos o los capítulos de un libro. Sin embargo, es complicadísimo usar números romanos para realizar operaciones aritméticas. Pruébalo y verás. Desde el siglo VI los científicos de India lograron varios adelantos que transformaron las matemáticas: inventaron los números dígitos y el sistema decimal, emplearon el cero y asignaron valor a los números según la posición que ocupan. Los árabes difundieron esos adelantos. En el siglo XIII los números que llamamos arábigos empezaron a ser utilizados en Europa. Los signos que los representan se convirtieron en la base del sistema de numeración que hoy se utiliza universalmente, aunque no es el único que existe.

Los árabes aprenden a producir alcohol.

Apogeo de la ciencia árabe en España.

El dominio musulmán

Las conquistas militares de los árabes fueron impresionantes por su extensión y rapidez. Los ejércitos árabes, con su veloz caballería, avanzaron hacia occidente y ocuparon el norte de África y en el año 711 invadieron la península ibérica. Intentaron seguir adelante pero fueron detenidos por los francos, acaudillados por Carlos Martel.

Ejército árabe.

Hacia el norte de Arabia los musulmanes dominaron Asia Menor, desplazando al imperio de Bizancio y se extendieron también hacia el oriente: conquistaron Persia y el centro de Asia, hasta llegar a las fronteras del imperio chino. Ocuparon el norte de India y su influencia alcanzó a las lejanas islas de Oceanía.

Muchos pueblos conquistados adoptaron la religión de los árabes. Con el tiempo, el gobierno del inmenso territorio del Islam no sólo era ejercido por los árabes, sino también por grupos de otras razas, a quienes unía una misma religión.

La expansión de los árabes tuvo un efecto duradero, que permanece hasta el presente. Se calcula que unos 800 millones de personas que viven en diferentes regiones del mundo practican hoy en día la religión musulmana.

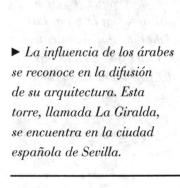

▶ *La influencia de los árabes se reconoce en la difusión de su arquitectura. Esta torre, llamada La Giralda, se encuentra en la ciudad española de Sevilla.*

Se forman los reinos de Navarra y Castilla. Avance de la reconquista española.

Se fundan las primeras universidades en Europa.

La influencia cultural islámica

La ciencia y la técnica tuvieron un gran desarrollo en la civilización islámica, pues los árabes tuvieron la capacidad de conservar y adaptar los avances de culturas diferentes a la suya. Así fue, por ejemplo, con los conocimientos médicos de los antiguos griegos y con los avances matemáticos alcanzados en India.

Patio de la Alhambra en Granada.

Los árabes organizaron centros de estudio e investigación en las grandes ciudades. Eran verdaderas universidades, en las que trabajaban científicos y estudiantes de todo el mundo islámico.

Los musulmanes jugaron un papel muy importante en el desarrollo cultural de los pueblos europeos, pues en la época en la que Europa experimentó un gran atraso, los árabes conservaron y después difundieron el saber acumulado por la humanidad.

Aunque nos parezca tan lejana, la cultura islámica tiene un significado especial para los mexicanos y para todos los pueblos que hablamos español. Durante 800 años los árabes dominaron gran parte de lo que hoy es España y dejaron ahí una rica herencia cultural. Cuando los españoles conquistaron América trajeron con ellos costumbres, técnicas agrícolas, estilos arquitectónicos y palabras de origen árabe que se hicieron parte de nuestra propia cultura.

El nacimiento de las lenguas modernas

Durante la Edad Media se formaron las lenguas occidentales modernas, como el español, el francés, el inglés y el alemán. De esa época son las primeras obras literarias escritas en esas lenguas. Las más comunes eran los "cantares de gesta", que narraban aventuras y penas de héroes y guerreros, algunas reales y otras imaginarias.

En español, la obra más importante es el Cantar del Mío Cid, *que cuenta las hazañas de Ruy Díaz de Vivar, el más grande de los capitanes en la lucha de los cristianos de España contra los musulmanes. Nuestro idioma ha cambiado mucho desde la Edad Media hasta nuestros días.*

ACTIVIDAD

Lee con cuidado los siguientes fragmentos del *Cantar del Mío Cid*. ¿Qué entiendes? Coméntalos con dos compañeros y traten de redactarlos en el lenguaje actual.

"*Aún era de día, non era puesto el sol, mando veer a sus yentes mío Cid el Campeador*"

"*el agua nos an vedada, exir (agotar) nos ha el pan que nos queramos ir de noch no nos lo consintrán grandes son los poderes por con ellos lidiar.*"

El Cid toma la ciudad de Valencia.

La primera Cruzada.

Reconquista de Jerusalén.

La conquista de Jerusalén.

Las Cruzadas y el final de la Edad Media

Entre los años 1000 y 1300 los reinos europeos vivieron una etapa de progreso. Se calcula que la población se duplicó, hasta alcanzar unos 70 millones de habitantes. La superficie de tierras cultivadas aumentó y se volvió más intenso el comercio. Como consecuencia, muchas ciudades adquirieron importancia como centros económicos y de gobierno.

En esa época tuvieron lugar las *Cruzadas*. Éstas fueron grandes expediciones militares organizadas por los cristianos de Europa, con el propósito de recuperar Jerusalén. Esa ciudad y la región cercana son llamadas por los cristianos *Tierra Santa*, porque en ellas vivió Jesucristo y los creyentes hacían largas peregrinaciones para visitarla por lo menos una vez en la vida.

A mediados del siglo XI los turcos de religión musulmana conquistaron Jerusalén e impidieron el paso de los peregrinos. Este hecho ofendió la religiosidad de los cristianos y, en 1095, el Papa pidió a todos los creyentes la recuperación de la Tierra Santa.

Decenas de miles de personas respondieron al llamado. Algunos eran soldados, pero otros muchos eran gentes comunes: pobres y ricos, ancianos, jóvenes y hasta niños. Varias expediciones estaban mal organizadas y sus integrantes no tenían armas ni entrenamiento militar; muchos murieron en el camino, lejos de su objetivo.

La primera Cruzada, dirigida por guerreros profesionales, tuvo éxito. En 1099 Jerusalén fue ocupada por los cristianos. Su dominio duró menos de un siglo, pues los musulmanes conquistaron nuevamente la ciudad. Los cristianos organizaron a lo largo de un siglo otras cruzadas, pero ya ninguna logró su propósito.

Sello del rey Ricardo Corazón de León.

▶ *Los cruzados preparan una expedición para recuperar la Tierra Santa.*

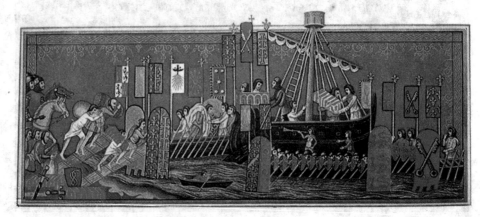

Se utiliza la brújula en el Mediterráneo.

Se fabrica papel en Europa.

Aunque a fin de cuentas las Cruzadas fueron un fracaso militar, contribuyeron a transformar la existencia de los europeos. Miles y miles de personas, que nunca habían salido de su pueblo, conocieron otras culturas y formas de vida y se aficionaron a los productos exóticos y lujosos que llegaban del Oriente. Los relatos de comerciantes y viajeros que habían recorrido las ricas regiones orientales alimentaron la fantasía y la ambición de los europeos. Entre esos relatos, ninguno tuvo más influencia que la narración del veneciano Marco Polo sobre China y la inmensa riqueza de su corte imperial.

Los siervos participan en las labores de recolección.

El desarrollo del comercio de artículos de lujo enriqueció a varias ciudades, sobre todo a las italianas, que dominaban el transporte en el Mediterráneo. En esas poblaciones los comerciantes y los artesanos se organizaron en gremios, que gobernaban la ciudad con independencia de los reyes y la nobleza feudal.

El conocimiento científico fue impulsado por la creación de universidades en muchas ciudades de Europa. A ellas llegaban alumnos y maestros de distintas regiones para estudiar cuestiones religiosas, medicina o derecho. Ya desde entonces las universidades eran lugares inquietos, que con frecuencia tenían conflictos con las autoridades religiosas y políticas.

Marco Polo ante el emperador de China.

Los cambios en la sociedad y en la cultura continuaron durante el siglo XIV. El más importante fue la reducción del poder de los señores feudales, como consecuencia de grandes rebeliones campesinas y también porque los reyes se esforzaron por controlar a una nobleza indisciplinada. Un adelanto técnico que contribuyó a debilitar al feudalismo fue la introducción de las armas de fuego, porque con ellas era posible destruir las armaduras y las fortalezas de los guerreros, que hasta entonces eran invencibles.

Primer reloj mecánico público.

Se extiende el uso de las armas de fuego.

Gran epidemia de la "peste negra".

1314   1340   1360

LÍNEA DEL TIEMPO COMPARATIVA 4000a.C. a 400d.C.

	4000	3600	3200	2800	2400
CERCANO ORIENTE		CIUDADES DE MESOPOTAMIA			
		RUEDA - BRONCE - ESCRITURA			HIERR...
CHINA		POBLADOS AGRÍCOLAS	RIEGO - CERÁMICA		
INDIA		ALDEAS AGRÍCOLAS		CIVILIZACIÓN DEL INDO	
EGIPTO		POBLADOS AGRÍCOLAS	UNIFICACIÓN-FARAONES ESCRITURA-PIRÁMIDES		
GRECIA		ALDEAS AGRÍCOLAS-PASTOREO			
ROMA					
MESOAMÉRICA		AGRICULTURA PRIMITIVA	CAZA-RECOLECCIÓN		PRIMERA CERÁMIC...
ZONA ANDINA		AGRICULTURA-RECOLECCIÓN			

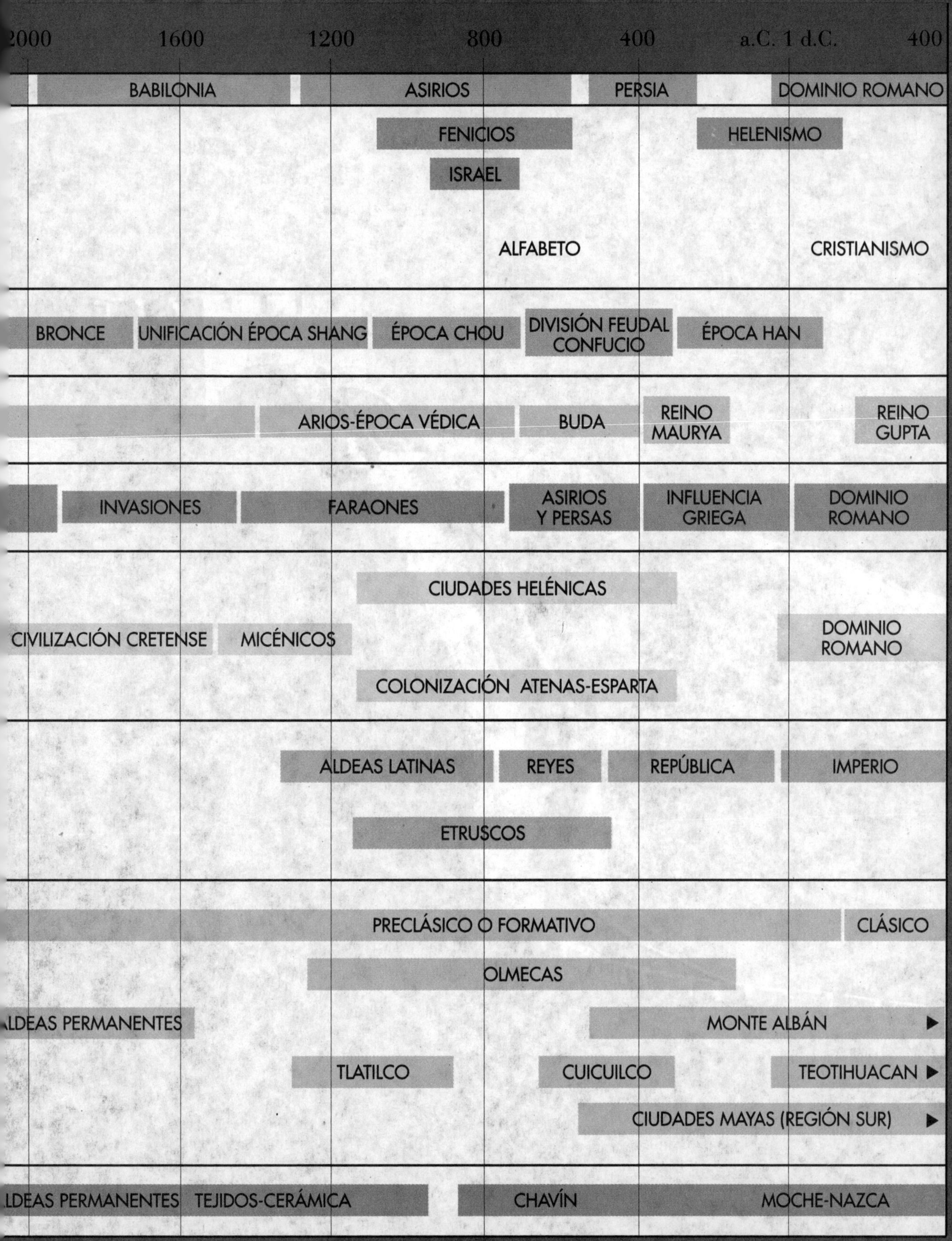

2000	1600	1200	800	400	a.C. 1 d.C.	400

BABILONIA · ASIRIOS · PERSIA · DOMINIO ROMANO

FENICIOS · HELENISMO

ISRAEL

ALFABETO · CRISTIANISMO

BRONCE · UNIFICACIÓN ÉPOCA SHANG · ÉPOCA CHOU · DIVISIÓN FEUDAL CONFUCIO · ÉPOCA HAN

ARIOS-ÉPOCA VÉDICA · BUDA · REINO MAURYA · REINO GUPTA

INVASIONES · FARAONES · ASIRIOS Y PERSAS · INFLUENCIA GRIEGA · DOMINIO ROMANO

CIUDADES HELÉNICAS

CIVILIZACIÓN CRETENSE · MICÉNICOS · DOMINIO ROMANO

COLONIZACIÓN ATENAS-ESPARTA

ALDEAS LATINAS · REYES · REPÚBLICA · IMPERIO

ETRUSCOS

PRECLÁSICO O FORMATIVO · CLÁSICO

OLMECAS

ALDEAS PERMANENTES · MONTE ALBÁN ▶

TLATILCO · CUICUILCO · TEOTIHUACAN ▶

CIUDADES MAYAS (REGIÓN SUR) ▶

ALDEAS PERMANENTES · TEJIDOS-CERÁMICA · CHAVÍN · MOCHE-NAZCA

La Gran Muralla, en China.

El Oriente durante la Edad Media

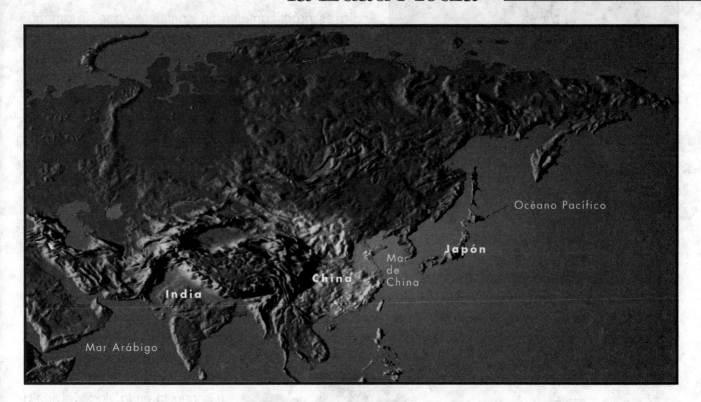

Océano Pacífico

Japón

Mar de China

China

India

Mar Arábigo

En la lección anterior estudiaste cómo, entre los siglos V y XV, surgieron nuevas naciones en Europa y se desarrolló la cultura islámica, mientras en la misma época maduraban las grandes civilizaciones de Mesoamérica y la región de los Andes. En esta lección conocerás lo que sucedió en el Oriente lejano durante aquellos siglos.

Las civilizaciones orientales de India, China, Japón y otras, que florecieron en la misma región, siempre han tenido gran importancia. Fueron culturas avanzadas y prósperas, que aportaron al resto del mundo notables logros científicos y técnicos. Hoy en día esas son las regiones más pobladas de la Tierra, pues en ellas vive casi la mitad de los seres humanos. Muchas de las formas de vida y las ideas actuales de los pueblos de Oriente tienen su origen en la época que vas a conocer. Por eso vale la pena estudiarla.

Las civilizaciones del lejano Oriente hacia el año 1400.

Retrato de un niño, pintura japonesa en seda del siglo XIV.

India se divide en reinos independientes.

El budismo se extiende en China.

India

India es prácticamente un continente por su tamaño, por la diversidad de sus regiones naturales y por las diferencias entre los pueblos que la habitan. Tal vez por eso ningún grupo gobernante pudo dominarla largo tiempo en toda su extensión.

Como recordarás, cuando desapareció la vieja civilización de las ciudades del río Indo, India fue invadida por los arios, un pueblo de guerreros procedentes del Asia Central. Los arios se extendieron por el territorio y establecieron varios reinos. Fue en esa época que los ejércitos de Alejandro Magno cruzaron el río Indo y, aunque no siguieron adelante, llevaron a Occidente la leyenda de la riqueza fabulosa de India.

▲ *En los más importantes centros de peregrinación budista se construyeron fastuosos templos como éste, edificado en el siglo VI.*

Los arios aportaron a la civilización de India su idioma, el sánscrito, en el cual se escribieron *Los Vedas*, libros sagrados de una nueva religión, llamada por eso védica, que se difundió entre los pueblos de la zona. Esta religión sostenía que los seres humanos, de acuerdo con su conducta en la vida, volvían a nacer después de la muerte bajo la forma de otros seres vivos. La creencia en la reencarnación dio origen a la división de la sociedad de castas, nombre que se da a grupos de personas a quienes por nacimiento corresponde una posición social y una ocupación que no pueden abandonar y a quienes tampoco se les permite unirse con gente de castas distintas.

La música y la danza tenían una importante función en la religión hinduista. Los dioses eran frecuentemente representados en actitud danzante. De ahí provienen ingeniosos instrumentos musicales inventados en épocas muy antiguas.

Aunque la religión védica se fue transformando con el tiempo, muchos de sus principios permanecen en el hinduismo, la más importante de las religiones actuales de India. La división social en castas, por ejemplo, se ha mantenido hasta el presente.

El budismo se introduce en Japón.

Se inventa el ajedrez en India.

También en India se originó en el siglo VI a.C. el budismo, otra de las grandes religiones que subsisten en nuestros días. Se llama así porque su fundador fue un predicador a quien se dio el nombre de *Buda*, que significa iluminado o que conoce la verdad. El budismo posee rasgos que lo distinguen de las demás religiones: no tiene un libro sagrado, no rinde culto a dios alguno y está dividido en corrientes o sectas con creencias propias. El budismo es más bien un conjunto de normas para vivir y para reflexionar, cuyo propósito es que las personas alcancen la armonía y la tranquilidad.

A diferencia del Islam guerrero, el budismo se extendió lentamente y sin utilizar la fuerza de las armas. Mil años después de la muerte de Buda, los monjes habían difundido su religión en el Tíbet, China, Corea y Japón.

Entre los siglos IV y VII la civilización de India alcanzó su nivel más elevado, bajo la dinastía Gupta, una familia de reyes que reunió artistas y sabios, y permitió la práctica de todas las tradiciones religiosas. El dominio de la dinastía terminó con la invasión de guerreros que cruzaron el Himalaya y provocaron una nueva división en reinos independientes.

Una tradición artística propia de la India es la ilustración de narraciones y leyendas antiguas. El dibujo y el texto sencillo hacían la lectura más fácil y atractiva.

Altorrelieve en piedra que muestra a Buda en el momento de alcanzar la iluminación.

La expansión de los árabes llevó a Occidente muchos de los conocimientos logrados en India, pero también añadió un nuevo elemento a la cultura de esa región. Oleadas de invasores musulmanes fueron ocupando el norte y el centro del territorio, en donde establecieron varios reinos que sólo hasta el siglo XVI se unificaron en el poderoso imperio Mogul.

La combinación de tantas influencias religiosas y raciales produjo una cultura muy rica y una gran variedad de formas artísticas. Los monumentos que se conservan son una muestra de la diversidad, del poder de los gobernantes y del alto nivel técnico de los constructores y artesanos de la India.

Puñal indio.

Se difunde el uso del papel en China.

El imperio chino alcanza su máxima extensión.

Los árabes avanzan hasta las fronteras de China e India.

La agricultura

La base de la riqueza de la India fue una agricultura muy productiva, que aprovechó las aguas de ríos caudalosos, como el Ganges. Se construyeron grandes y pequeños sistemas de diques y canales, utilizados para el cultivo del arroz, pero además en la región tuvieron su origen dos productos desconocidos en Europa: la caña de azúcar y el algodón.

Estos cultivos sólo son útiles si se tienen las técnicas y las máquinas adecuadas para aprovecharlos. Con ese propósito, los agricultores fabricaron molinos que utilizaban grandes ruedas de piedra para extraer el jugo de la caña, que luego ponían a hervir para obtener azúcar. Por su parte, hábiles mecánicos construyeron máquinas manuales para hilar y tejer el algodón. Con ellas producían telas ligeras que eran muy apreciadas como artículos de comercio.

Damas indias vestidas
con hermosas telas de algodón.

Para los habitantes de India, todos los seres vivos: plantas, animales y humanos, eran dignos de veneración. Los hombres debían respetar y cuidar cualquier forma de vida.

ACTIVIDAD

En un mapa de Asia, con división política, localiza e ilumina con diferentes colores cada uno de los países y regiones en los cuales se difundió el budismo.

Muere Li Po,
el más grande
poeta chino.

Feudalismo
en Japón.

China

Durante los siglos de la Edad Media, China fue la región más avanzada del mundo: la más poblada, más productiva y de mayor desarrollo técnico. Pero su progreso no fue fácil, ni tranquilo. En varias ocasiones las guerras civiles, las rebeliones campesinas y las invasiones de los pueblos fronterizos transformaron a la sociedad y dividieron al imperio. Sólo con grandes esfuerzos se recuperaron la unidad y el orden.

Cosecha de arroz.

La fuerza de la sociedad china estaba en una numerosa población campesina, formada por comunidades y familias fuertemente unidas y apegadas a la tierra. Estos campesinos realizaban el trabajo intenso y continuo que es necesario para hacer productivas tierras muy fértiles, pero amenazadas siempre por inundaciones y desastres.

La agricultura fue la base de la civilización china. De ella obtenía el gobierno imperial los impuestos para sostenerse y los recursos para la construcción de las grandes obras públicas; las ciudades recibían alimentos; y numerosos artesanos y especialistas podían dedicarse a oficios de técnica avanzada.

Pagoda de diez pisos, construida con ladrillos.

Para navegar en los tormentosos mares de Oriente, los chinos construyeron barcos muy distintos a los utilizados en el Mediterráneo.
Se llamaban juncos y algunos eran tan grandes que podían transportar hasta 1000 personas.

I 2 3 4 5
6 7 8 9 0

Los árabes adoptan y difunden los números indios.

Auge del arte en Japón.

Imperio mongol

Asia y Europa sufrieron en el siglo XIII la última y la más grande de las invasiones de guerreros seminómadas: la del pueblo mongol, formado por tribus de pastores de las inmensas llanuras del centro y del noreste de Asia.

Hasta entonces, cada tribu había tenido su propio jefe, pero al empezar el siglo fueron unificadas por Gengis Khan, un astuto y despiadado caudillo. Bajo su mando, los mongoles dejaron sus terrenos de pastoreo y se lanzaron a la conquista de pueblos más avanzados.

La hazaña militar de los mongoles fue notable. En 50 años conquistaron China, el actual territorio de Rusia y Ucrania y los dominios musulmanes de Persia. Sólo fueron derrotados en las fronteras de Egipto y cuando trataron de invadir a Japón, con su enorme flota de guerra.

Los mongoles tuvieron las ventajas militares de una veloz caballería y soldados que usaban los arcos más poderosos de aquel tiempo. Pero, sobre todo, →

El gobierno imperial

La figura del emperador ocupaba un lugar central en la sociedad china, pues se le consideraba como intermediario entre los hombres y las divinidades. La autoridad imperial se apoyaba en las creencias más arraigadas del pueblo, que tenían su origen en las ideas de Confucio, un maestro errante que vivió en el siglo VI a.C. Según pensaba Confucio, lo más importante en la vida son la armonía y el orden, que sólo se pueden alcanzar, según él, si las personas de posición inferior obedecen a sus superiores y si éstos últimos cumplen sus obligaciones con los demás. Así como en la familia se debía obediencia al padre y veneración a los antepasados, en el reino se deberían acatar los mandatos del emperador.

Guardián imperial, escultura en barro.

El gobierno del emperador era representado por funcionarios en todas las regiones del imperio, encargados de recaudar los impuestos, aplicar las leyes y organizar los trabajos públicos. Estos funcionarios, llamados mandarines, eran seleccionados especialmente por su competencia para leer y escribir, cosa nada sencilla, pues su idioma se representaba con más de 4 mil caracteres distintos.

Retrato del poderoso emperador Yung-ho.

Una de las tareas del gobierno era planear las obras públicas indispensables para la seguridad del imperio. Entre ellas, la más notable fue la Gran Muralla, formada por muros y fortificaciones que se extienden por más de 4 mil kilómetros. Cada dinastía mandaba hacer más alta y sólida la muralla y eso exigía que cientos de miles de trabajadores se dedicaran durante años a las obras de construcción. A pesar del esfuerzo, no se pudo evitar que China fuera invadida varias veces por los guerreros vecinos.

Desarrollo de la porcelana en China.

Reinos musulmanes en India.

Las ciudades y el comercio

Las ciudades chinas fueron centros de gobierno, de comercio y de producción de mercancías. Algunas de ellas, como las capitales imperiales, fueron las primeras ciudades del mundo que llegaron a tener más de un millón de habitantes.

En las ciudades se fabricaban artículos de lujo, como las telas de seda y la cerámica fina, que eran muy apreciadas en Occidente. De China partía hacia Europa lo que entonces llamaban *Ruta de la Seda*, recorrida por caravanas de comerciantes, que cruzaban montañas y desiertos y corrían todo tipo de peligros, para llevar a Bizancio y a otros puertos las costosas mercancías de Oriente.

Mujer trabajando en un telar de seda.

Las técnicas

Debemos a los chinos de esa época muchos inventos y adelantos técnicos, que siglos después cambiarían la historia de la humanidad. Vamos a revisar tres ejemplos: el papel, las primeras formas de la imprenta y la pólvora.

Los chinos aprendieron a producir papel utilizando fibra de bambú, paja de arroz o desechos de tela vieja, que mezclaban con agua y alguna sustancia pegajosa, hasta formar una pasta muy fina. Después ponían la pasta a secar formando láminas delgadas colocadas en un bastidor.

El producto obtenido era uniforme, liso y mucho más barato que el pergamino, usado en Europa para escribir y que se fabricaba con pieles de animales. El papel no sólo servía para escribir: se usaba en los muros de las casas, como empaque y en otras muchas cosas.

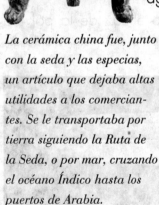
La cerámica china fue, junto con la seda y las especias, un artículo que dejaba altas utilidades a los comerciantes. Se le transportaba por tierra siguiendo la Ruta de la Seda, o por mar, cruzando el océano Índico hasta los puertos de Arabia.

aprovechaban el terror que provocaba su crueldad, pues no perdonaban a un enemigo derrotado. Muchas ciudades preferían rendirse a pelear, esperando un trato benigno.

Sorprendentemente, una vez que los mongoles obtenían la obediencia y el tributo de los vencidos, permitían que vivieran y trabajaran conforme a sus propias costumbres. Además, les interesaban los beneficios del comercio y mientras existió el dominio mongol, el intercambio entre Oriente y Europa fue intenso y bastante seguro.

En China, un gran jefe mongol, Kublai Khan, ocupó el trono imperial.

Los chinos resentían la dominación de un pueblo que consideraban bárbaro y a la muerte del emperador mongol, los campesinos y los soldados chinos se rebelaron y expulsaron a los invasores.

Los mongoles se dividieron y fueron abandonando los territorios dominados. Unos 100 años después de las grandes conquistas, el poderío mongol había desaparecido sin dejar casi ninguna huella.

Censo en China: 90 millones de habitantes.

Los chinos utilizan la pólvora en la guerra.

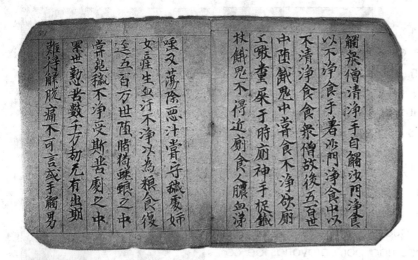

Junto con la invención del papel, los chinos dieron los primeros pasos en el desarrollo de la imprenta. Buscaron un procedimiento que, en lugar de copiar los escritos a mano, les permitiera obtener muchas reproducciones iguales de un mismo original. La solución fue labrar los caracteres de una página en una plancha de madera, de manera que éstos sobresalieran. Después entintaban la plancha y aplanaban sobre ella hojas de papel. Como ves, es un sistema parecido a los sellos de hoy en día.

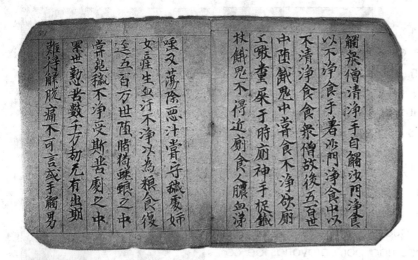

Caracteres chinos labrados en tipos móviles de madera. Con este sistema se imprimían hace 1000 años libros como el que ves aquí, en el que los creyentes budistas podían encontrar rezos adecuados para todo tipo de problemas y situaciones peligrosas.

Siglos más tarde, cada signo se labraba en un trozo separado de madera, que se combinaba con otros para formar expresiones. El sistema era más rápido, aunque la enorme cantidad de caracteres de la lengua china dificultaba las cosas. Los primeros libros, calendarios y noticias se imprimieron con estos procedimientos.

Los químicos chinos descubrieron que al mezclar carbón, azufre y salitre en ciertas proporciones, se produce una mezcla que explota en contacto con el fuego: ésa es la pólvora. Durante un tiempo, el nuevo invento no tuvo aplicaciones militares, sino que se usaba para fabricar fuegos artificiales. Más tarde los chinos y los mongoles encontraron que con ella también

Sello chino.

podían hacer bombas. Sin embargo, el uso eficaz de la pólvora en las armas de fuego no fue logrado realmente por sus inventores, sino por los europeos del siglo XVI.

▶ *Las técnicas orientales para trabajar los metales se muestran en estas tijeras de plata, hechas en China. Observa el sencillo mecanismo para abrirlas y cerrarlas, que todavía se usa en herramientas de jardinería.*

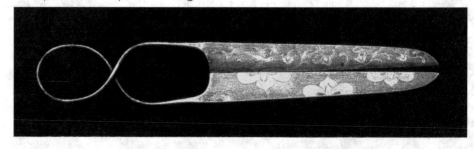

Gran templo hindú en Angkor.

Se inicia la era de los shogún en Japón.

Japón

Japón fue habitado desde la prehistoria por grupos que aprendieron a cultivar la tierra y establecieron poblados permanentes. Se formaron después dominios independientes, pero sólo fue hasta el siglo VI de nuestra era que el país fue unificado bajo el mando de una sola autoridad.

El territorio de Japón está formado por cuatro grandes islas y por muchas otras de menor tamaño. El terreno es quebrado: valles de buenas tierras agrícolas están separados por escarpadas montañas y el mar forma decenas de bahías y pequeñas penínsulas. Estas características geográficas crearon una defensa natural contra las invasiones de otros pueblos, pero también dificultaron el establecimiento de un gobierno fuerte y estable.

Los chinos ejercieron una gran influencia en la formación de la cultura de Japón, pues de ellos se adoptó la forma de escribir, los estilos de construcción y las creencias religiosas. Sin embargo, al paso del tiempo, el saber y las formas de vida de los japoneses tomaron rasgos propios y originales.

Las imágenes de Buda en actitud de meditación indican la extensión del budismo en Oriente. Esta enorme estatua de bronce está en Japón. Mide casi 12 metros de alto.

La influencia de la cultura china en Japón se reconoce en el estilo de estas construcciones. La primera está en Pekín China y la segunda en la ciudad de Nara en Japón.

Pescadores de ostras.

Genghis Kan reúne bajo su poder a las tribus nómadas de Asia Central.

Los mongoles conquistan China.

El emperador y el poder de los guerreros

A diferencia de lo ocurrido en otras civilizaciones, los emperadores de Japón no tuvieron un gran poder político. Eran respetados como figuras religiosas, pero vivían encerrados en maravillosos palacios y no participaban en las decisiones del gobierno.

El verdadero poder lo ejercían los principales dirigentes militares, que eran las cabezas de grandes clanes formados por familias y servidores unidos a su jefe por lazos de dependencia y lealtad.

Desde el siglo XI se formó en Japón un sistema parecido al feudalismo en Europa. Numerosos jefes militares dominaban su propio territorio, apoyados por guerreros profesionales de origen noble llamados *samurai*. Las luchas entre los grupos feudales se prolongaron hasta finales del siglo XVI, cuando el clan Tokugawa sometió a los demás y estableció un sólido poder militar que duró hasta mediados del siglo XIX.

Agricultores y pescadores

La armadura de samurai *japonés estaba hecha con pequeñas placas de metal, sobrepuestas como escamas. Eso la hacía más ligera y flexible que las armaduras sólidas usadas en Europa. Las dos espadas eran un símbolo de la categoría social de los guerreros, pues estaba prohibido que las personas comunes y corrientes portaran armas.*

Japón tiene una extensión reducida y las tierras de siembra no son abundantes. Por esa razón, desde época muy antigua los agricultores aplicaron técnicas de cultivo que les ayudaron a obtener rendimientos altos y evitar el agotamiento de las tierras.

Además realizaban un intenso trabajo para construir en las colinas terrazas planas, que aumentaban la superficie sembrada con arroz, legumbres y otros vegetales.

La ola, representación artística del famoso pintor Hokusai.

El otro gran recurso alimentario fue la pesca, abundante en los mares cercanos a las islas. Los productos pesqueros fueron una valiosa fuente de proteínas de origen animal, pues el terreno no era adecuado para la ganadería.

Gracias a esos alimentos, fue posible que Japón tuviera una densidad de población superior a la de otras regiones de Oriente.

Marco Polo en la corte de China.

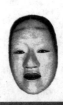

Desarrollo del teatro en Japón.

La cultura y las artes

A pesar de la frecuencia de las guerras, en Japón se desarrollaron formas refinadas de las artes, que se cultivaban en las cortes del emperador y de los grandes señores feudales. La pintura se practicaba sobre telas de seda y biombos decorativos y la arquitectura alcanzó un nivel notable utilizando la madera y la piedra. Se crearon estilos de teatro de gran originalidad y fue en esa época cuando una mujer de la corte, la dama Murasaki Shikibu, escribió la primera novela de la historia, una narración entretenida, llena de aventuras y complicaciones sentimentales.

La vida militar tuvo una fuerte influencia sobre la cultura y las artes, porque en ellas se utilizaban como tema las virtudes del guerrero ejemplar: el honor, la valentía, la fidelidad y la cortesía. Las leyendas y las narraciones que tienen como personajes a los samurai conservan una gran popularidad en el moderno Japón y son un argumento muy usado en el cine y las telenovelas.

Dama japonesa contemplándose en el espejo.

Las técnicas

Los japoneses adoptaron y perfeccionaron varios avances técnicos logrados en otras regiones de Oriente. El caso más notable es el de la fundición del bronce y del hierro, con los cuales lograron producir objetos que todavía hoy llaman la atención por su calidad.

Los artesanos y herreros utilizaron dos innovaciones en los hornos de fundición: emplearon carbón de piedra e inventaron un fuelle para inyectar aire en el interior del horno. Con eso lograban temperaturas superiores a 1000 grados para fundir un metal más puro, que después enfriaban y calentaban para que adquiriera mayor resistencia y flexibilidad.

En el Japón se creó un estilo de teatro llamado Kabuki en el que, como en el teatro griego, los actores usan máscaras que expresan la personalidad y el estado de ánimo de los personajes.

Los mongoles son expulsados de China.

c. 1370

Se imprime en China el primer libro de veterinaria.

La ciudad maya de Tikal,
en Guatemala.

El esplendor de Mesoamérica

Aridoamérica

Golfo de México

Océano Pacífico

Mesoamérica

▲ *Localización de Mesoamérica.*

Como has visto en las lecciones anteriores, en el Viejo Mundo muchas grandes culturas surgieron, tuvieron una época de auge y luego fueron debilitándose. Unas desaparecieron, y las conocemos solamente por lo que queda de sus construcciones y por otros restos que han sobrevivido hasta nuestros días.

Mientras tanto, en América los seres humanos fueron progresando sin ningún contacto con los centros de cultura de otros continentes. Poco a poco, en un proceso que duró muchos miles de años, aprendieron en distintos lugares a cultivar la tierra, a trabajar el barro y la piedra, a domesticar algunos animales.

Con el paso del tiempo, las aldeas se convirtieron en ciudades. Los hombres de América crearon sus religiones y sus leyes, produjeron formas propias de arte, avanzaron en las ciencias e inventaron sistemas de escritura y de numeración que nada tienen que ver con los de algún otro lugar del mundo.

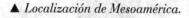

El Señor de Las Limas, escultura olmeca en piedra.

Comienza el periodo Preclásico.

Agricultores fabricantes de cerámica.

c. 1800 a.C.

c. 1500 a.C.

Escena de la vida cotidiana en Mesoamérica.

En dos regiones de América el desarrollo cultural fue muy importante: Mesoamérica y la zona andina. En esta lección y en la que sigue nos ocuparemos de Mesoamérica; después dedicaremos una lección a la zona de la gran cordillera sudamericana de los Andes.

La historia de Mesoamérica

Como sabes, en la región que llamamos Mesoamérica hay diversos paisajes, desde las cumbres nevadas hasta las costas tropicales. En general, el clima y las condiciones naturales de la región son favorables para la vida humana. Cuando comenzó a poblarse, la región era más húmeda que ahora. En muchos lugares que hoy son bastante secos, como el Valle de México, había bosques, lagos y pantanos. Abundaban los animales para la cacería y la pesca, y muchas plantas que podían recolectarse.

Plato de cerámica olmeca.

La disponibilidad de agua, la fertilidad de la tierra y la variedad de plantas, ayudaron a que surgiera una agricultura muy productiva, de la que vivía una población más numerosa y densa que la de otros lugares de América.

La diversidad de los climas y de los productos naturales de Mesoamérica propició desde épocas muy antiguas el intercambio comercial y cultural entre zonas apartadas. Aunque cada civilización mesoamericana tuvo rasgos propios, el comercio, las migraciones y las expediciones militares difundieron la influencia de los pueblos más avanzados. Por eso hay costumbres, creencias y formas de trabajo que son comunes a todos los pueblos de Mesoamérica.

La evolución de las civilizaciones mesoamericanas es larga y complicada. Para entender mejor esa historia, los especialistas la han dividido en tres periodos, tres épocas en que los pobladores de la región comparten más o menos el mismo nivel de desarrollo cultural.

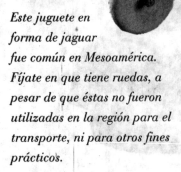

Este juguete en forma de jaguar fue común en Mesoamérica. Fíjate en que tiene ruedas, a pesar de que éstas no fueron utilizadas en la región para el transporte, ni para otros fines prácticos.

Florece la cultura de Tlatilco.

c. 1300 a.C.

Cabeza de niño modelada en barro. Periodo Preclásico.

Estos periodos son tres:

- El *Formativo* o *Preclásico* abarca desde 2500 a.C., cuando se extienden las aldeas agrícolas permanentes, hasta 200 d.C.
- El *Clásico* abarca del año 200 al 800. Es el tiempo de esplendor de numerosas ciudades independientes (por eso las llamamos, como a las griegas, ciudades-Estado), en las que se construyeron grandes centros ceremoniales.
- El *Postclásico* comprende desde el año 800 hasta la llegada de los españoles. Al principio de este periodo, las ciudades más importantes de Mesoamérica fueron abandonadas o destruidas. Después se fundaron otras y finalmente surgió el gran señorío mexica, que dominaba gran parte de Mesoamérica a principios del siglo XVI, cuando Europa y América entraron en contacto.

Las divisiones entre estos tres grandes periodos son aproximadas, pues se trata de cambios que no se produjeron en un momento preciso, sino que fueron siempre graduales.

El conocimiento que tenemos de nuestros antepasados mesoamericanos ha avanzado notablemente en los años recientes. Sin embargo, es mucho lo que no sabemos sobre ellos. Constantemente se producen nuevos hallazgos y descubrimientos, que obligan a los historiadores a modificar sus ideas y explicaciones. Hay todavía grandes misterios por aclarar en la etapa más antigua de nuestra historia.

Hombre jaguar. Pintura mural localizada en Cacaxtla, Tlaxcala.

◄ *Cascabel de oro encontrado en Tenochtitlan. Periodo Postclásico.*

Se desarrolla la cultura olmeca.

Apogeo del centro ceremonial de La Venta.

Vasija de barro negro de Tlatilco.

El Preclásico: las primeras civilizaciones

En las primeras décadas del siglo XX, los antropólogos mexicanos encontraron que abajo de los grandes centros ceremoniales llamados clásicos, como Teotihuacan y los de la zona maya, había restos más primitivos. Por eso, denominaron Preclásico al periodo cultural de mayor antigüedad.

Hoy sabemos que en ese periodo formativo, que dura por lo menos 20 siglos, hubo una lenta evolución desde las aldeas agrícolas hasta la primera gran civilización de Mesoamérica: la de los olmecas.

Durante el Preclásico creció aceleradamente la población de Mesoamérica, tanto así que algunos historiadores hablan de una explosión demográfica. No se sabe con precisión a qué se debió este fenómeno, pero seguramente está relacionado con el aumento de las superficies cultivadas, el invento de nuevas técnicas agrícolas y el desarrollo de variedades de maíz que producían mazorcas más grandes.

Muchos sitios de México estuvieron habitados desde principios del Preclásico. Los vestigios de edificaciones no son muy abundantes, pues en esa época se construía generalmente con madera, hojas de palma y otros materiales que no resisten el paso del tiempo. Pero sí se hallan basureros y tumbas, y los objetos que se han encontrado allí nos permiten tener una idea sobre cómo se vivía en aquel tiempo.

Brasero de barro con la figura de Huehuetéotl, dios viejo del fuego, uno de los más antiguos de Mesoamérica.

▶ *Pirámide de Cuicuilco.*

Se construye la pirámide de Cuicuilco.

Desaparece la cultura olmeca.

c. 500 a.C.   c. 400 a. C.

Sabemos, por ejemplo, que los antiguos mesoamericanos creían en la existencia de un más allá donde moraban los espíritus de los muertos. Lo sabemos porque en las tumbas que han sido descubiertas enterraban a sus difuntos con objetos que, según ellos, podían necesitar en otra vida, como joyas, vasijas, juguetes y figurillas de barro. Había también una religión primitiva, en la que se veneraba a fenómenos naturales como el Sol, la lluvia y la fertilidad de la tierra.

A medida que los grupos humanos formaron aldeas y ciudades mayores, las necesidades de la población crecieron y el trabajo de las personas se especializó. En las sociedades se distinguieron varios grupos: los gobernantes, que a la vez eran sacerdotes y jefes guerreros, los artesanos y los campesinos, que eran la mayoría. Estos últimos trabajaban la tierra, construían las obras públicas y en las guerras peleaban como soldados. Los trabajos agrícolas se hacían en grupo y las familias se repartían los productos del campo.

Uno de los ritos practicados por los pueblos del Preclásico consistía en arrojar en los sembradíos pequeñas figuras de mujer, hechas de barro y adornadas con las joyas y peinados que se usaban entonces. Era una forma de pedir una buena cosecha y de agradecer la fertilidad de la tierra.

Cacería de patos representada en un códice.

Las técnicas progresaron con gran rapidez. Se tejían, entre otras cosas, telas, cuerdas, redes y cestas. Los trabajos que se efectuaban en piedra y en barro alcanzaron, paso a paso, una notable perfección.

Además de la civilización olmeca, en el Preclásico se desarrollaron las primeras etapas de las grandes culturas de Mesoamérica. Eso sucedió en varias regiones: en la zona maya, en la zapoteca, en el Occidente y en el Altiplano.

Punta de lanza.

Florece
Monte Albán.

Surgimiento de
Teotihuacan.

Los olmecas

En las selvas de lo que ahora son Veracruz y Tabasco, hacia el año 1200 a.C. se establecieron los olmecas, que formaron la primera gran cultura mesoamericana. La región es muy favorable para la agricultura. Las lluvias son abundantes y las crecientes de ríos caudalosos fertilizan regularmente las tierras. Así se pudo sostener una población numerosa, que estableció centros religiosos como los encontrados en San Lorenzo, La Venta y Tres Zapotes.

Los olmecas fueron notables escultores. Tallaron en jade figuras humanas de unos cuantos centímetros, pero también enormes figuras de piedra: cabezas de más de dos metros, altares y columnas labradas. Las grandes piedras fueron transportadas desde largas distancias a través de la selva y utilizando balsas en los ríos y las costas.

Cabeza colosal labrada en piedra.

▶ *Figurita de mujer encontrada en una tumba en La Venta.*

▶ *Para algunos investigadores, este relieve representa una de las primeras imágenes del dios Quetzalcóatl.*

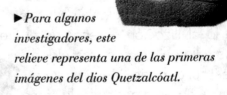

Se perfeccionan la escritura y el calendario en Mesoamérica.

La herencia olmeca

Muchos avances logrados por los olmecas se extendieron por toda Mesoamérica. En lugares tan apartados entre sí, como Guerrero, el Valle de México, Oaxaca y la zona maya se pueden encontrar elementos culturales que indudablemente tienen origen olmeca, como la técnica para trabajar la piedra, la observación de los astros y el culto a ciertas deidades. Es muy probable que el nacimiento de la escritura y del cálculo del tiempo también sean producto de esta civilización.

La arquitectura de los olmecas tuvo una gran influencia, pues fueron los primeros que construyeron centros ceremoniales, diseñados de manera que tuvieran una determinada orientación en relación con ciertos astros.

El centro ceremonial de La Venta, en Tabasco.

Los centros ceremoniales estaban separados de las aldeas o los barrios donde la gente común y corriente realizaba las actividades de todos los días. En el centro religioso vivían únicamente los gobernantes, los sacerdotes y sus sirvientes. El pueblo se reunía en el centro sólo para las celebraciones religiosas y militares.

Sabemos más de la religión y el arte que de la vida cotidiana de los pueblos mesoamericanos porque los centros ceremoniales han resistido el paso del tiempo, mientras que las casas o los mercados han desaparecido, pues estaban hechos de adobe, palma o madera.

Hacia el año 300 a.C. los centros ceremoniales olmecas ya habían sido abandonados por sus pobladores, sin que sepamos qué provocó ese hecho. Sin embargo, para entonces ya se había difundido la influencia de la que muchos historiadores llaman *cultura madre de Mesoamérica.*

ACTIVIDAD

Consulta la línea del tiempo que aparece en las páginas 74 y 75 y contesta:
• Mientras que en el actual territorio mexicano se desarrollaba la cultura olmeca, ¿qué hechos importantes ocurrían en otras partes del mundo?
• ¿Qué civilizaciones se habían desarrollado antes en el Viejo Mundo?

Hacha de piedra con inscripciones.

Comienza el periodo Clásico.

c. 200 d.C.

El juego de pelota

Uno de los edificios que se encuentran en todas las ciudades del Clásico es el juego de pelota.

Básicamente consiste en un patio en forma de I, con unos marcadores de piedra empotrados en los muros laterales.

Los marcadores debían ser golpeados con una pelota que los jugadores impulsaban con la cadera. La pelota se hacía de hule crudo y tenía un bote muy vivo. Era muy pesada y el juego resultaba peligroso, tanto por un posible golpe con la pelota, como por la violencia con que se jugaba. Los jugadores se protegían la cadera, los antebrazos, las rodillas y las piernas. A veces se jugaba por diversión, pero en otros casos era una ceremonia religiosa que terminaba con el sacrificio de alguno de los contendientes ya fuesen vencedores o vencidos.

► *Juego de pelota zapoteco.*

El periodo Clásico

Hacia el año 200 a.C. en varias regiones de Mesoamérica, se inicia el desarrollo de grandes civilizaciones urbanas. Los centros ceremoniales se multiplicaron y las artes y las técnicas alcanzaron un esplendor impresionante. Es la época en que florecen, entre otras, la civilización maya, la zapoteca y la de los pobladores de Teotihuacan.

Jugador de pelota.

Las ciudades del periodo Clásico fueron independientes entre sí, aunque algunas, más poderosas, dominaron territorios extensos y cobraron tributos a sus habitantes.

En esta época, la organización de la sociedad se volvió más complicada. Al lado de los guerreros-sacerdotes surgieron funcionarios encargados de impartir justicia y de recaudar tributos, comerciantes que viajaban largas distancias y artesanos de gran especialización. La religión ocupaba el lugar central de la vida y en torno a ella giraban las demás actividades. Aumentó el número de las deidades y de las ceremonias realizadas en su honor, que con frecuencia incluían los sacrificios humanos.

Pirámide del Sol
en Teotihuacan.

c. 250 d.C.

Los asombrosos centros ceremoniales de esta época, sus templos y pirámides, tumbas y palacios, nos dan una idea del peso que tenía la religión en las sociedades clásicas. Decenas de miles de hombres trabajaban durante años para construirlos, se ocupaba a los más diestros artesanos y se consumían los materiales más preciados. Todo ese esfuerzo tenía como finalidad obtener el favor de las deidades, que según las creencias de aquellos pueblos, gobernaban la vida de los hombres y los ciclos de la naturaleza.

En otras actividades humanas hubo notables avances. Progresaron ciencias como las matemáticas y la astronomía, se crearon complicados sistemas de escritura y prosperó la herbolaria, que estudia las propiedades benéficas o dañinas de las plantas. Las técnicas para trabajar la piedra y el barro alcanzaron su punto más alto; las paredes de los centros ceremoniales se cubrieron de pinturas y relieves. Cada pueblo desarrolló un particular estilo artístico, aunque los pueblos de Mesoamérica compartían formas de arte parecidas.

La más antigua e influyente de las civilizaciones clásicas fue la de Teotihuacan. Sin embargo, para seguir un orden geográfico, iniciaremos nuestro recorrido por el sureste de Mesoamérica, con los mayas y los zapotecas.

Signo de escritura maya que significa señor.

Marcador del juego de pelota.

Bastón de hueso, utilizado probablemente como cetro.

◄ *Patio de Quetzalpapalotl, en Teotihuacan.*

Se desarrollan Palenque, Copán y Tikal.

Auge de Monte Albán.

Gobernante maya.

▶ *Escena de guerra, pintura mural en Bonampak.*

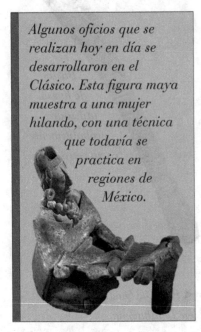

Algunos oficios que se realizan hoy en día se desarrollaron en el Clásico. Esta figura maya muestra a una mujer hilando, con una técnica que todavía se practica en regiones de México.

Los mayas

Los mayas ocuparon una extensa región que incluye en nuestro país a los estados de Yucatán, Campeche, Quintana Roo, Tabasco y Chiapas, así como buena parte de Guatemala, Belize, Honduras y El Salvador. En la época clásica de su larga historia, los mayas poblaron las zonas montañosas y selváticas al sur de esa región. Más tarde fueron las planicies y selvas bajas del centro y el norte de la península el principal centro de desarrollo.

En el apogeo del periodo Clásico, el corazón de la zona maya fue el triángulo que tiene como límites aproximados a Palenque en Chiapas, Tikal en Guatemala y Copán en Honduras. Ahí prosperó una población numerosa que practicaba la agricultura quemando el bosque para aprovechar las húmedas tierras de origen volcánico.

En esa zona se desarrollaron muchas ciudades–Estado, gobernadas por una poderosa clase de guerreros y sacerdotes. Esta clase ejercía una fuerte autoridad sobre el resto de la sociedad, como se puede apreciar en las representaciones pintadas y labradas en templos, tumbas y palacios.

Desarrollo de la astronomía y las matemáticas mayas.

El primero de junio de 1994, un grupo de jóvenes antropólogos mexicanos descubrió la tumba de un miembro de la dinastía gobernante de Palenque. Una diadema, ofrendas de jade y concha y vasijas con alimentos acompañan al esqueleto real. A un lado de su ataúd de piedra, se encontraron los restos de dos sirvientes sacrificados.

Los mayas crearon un avanzado sistema de escritura, que ha sido descifrado poco a poco en las décadas recientes. La escritura era utilizada para registrar las hazañas guerreras de los gobernantes, para anotar la cuenta del tiempo y con otros propósitos religiosos.

El movimiento de los cuerpos celestes y la medición del tiempo interesaban muchísimo a los mayas. A lo largo de generaciones, los astrónomos llevaron el registro de fenómenos como los eclipses de Sol y de Luna, las posiciones del planeta Venus y el paso de cometas. Con esa información los mayas organizaron un calendario sorprendentemente preciso, que utilizaban no sólo para medir el tiempo, sino también para predecir las fechas que según sus creencias serían propicias o desdichadas para los hombres.

Para realizar sus cálculos, los astrónomos mayas utilizaban símbolos numéricos que representaban las unidades del 1 al 4 y grupos de 5 unidades. Daban un valor a las cifras según su posición y utilizaban el cero, lo que permitía calcular magnitudes muy grandes.

El interés de los mayas en el tiempo se refleja en numerosas estelas labradas. Estas grandes losas, que se colocaban verticalmente, conmemoraban fechas especiales y son una de las mejores fuentes de información utilizadas por los historiadores.

▶ Estela que conmemora la subida al trono de un príncipe maya.

Signos de escritura mayas.

Números mayas.

Destrucción de Teotihuacan.

A finales del Clásico, las ciudades mayas sufrieron una enorme catástrofe y fueron abandonadas. No sabemos qué sucedió, pero es posible que la destrucción de bosques, consecuencia del sistema agrícola, provocara un terrible trastorno ecológico, o bien que la población hubiese crecido demasiado, o que hubieren estallado fuertes luchas internas. O tal vez todos esos fenómenos se combinaron.

Al sucumbir las ciudades del sur, una nueva y brillante etapa de la cultura maya se desarrolló después en el norte de la península de Yucatán, sobre todo en las ciudades de Uxmal, Chichén Itzá y Mayapán.

Durante el siglo pasado, viajeros y aventureros recorrieron las selvas de la zona maya, en busca de ciudades perdidas, sobre las que corrían fantásticos rumores. Esta fotografía, tomada hace más de 100 años por el inglés Alfred Maudslay, muestra el estado en que encontró las ruinas de Palenque. Podemos imaginar la emoción de aquellos exploradores cuando de la tupida selva surgían los restos de una civilización rodeada de misterios.

Cabeza encontrada en la cripta de Palenque.

▶ *El Palacio de Palenque en la actualidad.*

Desarrollo de Xochicalco.

Esplendor de El Tajín.

Los códices

Los códices son escritos y dibujos elaborados por los pueblos mesoamericanos en tiras de piel de venado o en una especie de papel, producido con la corteza del árbol amate. Una vez escritas, esas tiras se doblaban en forma parecida a la de un acordeón.

Seguramente los códices fueron muy numerosos, pero hoy sólo se conservan unos cuantos. Muchos fueron destruidos por los conquistadores españoles, otros se perdieron por descuido o por la fragilidad del material con el que fueron fabricados.

Los códices se elaboraban con distintos propósitos. Aquí puedes ver tres ejemplos. El primero, que proviene de Yucatán, es un código astronómico que registra los movimientos de Venus. El segundo es mixteca y narra la historia de una familia de reyes. El tercero es mexica y explica el origen de los dioses.

Códice mexica.

Códice maya.

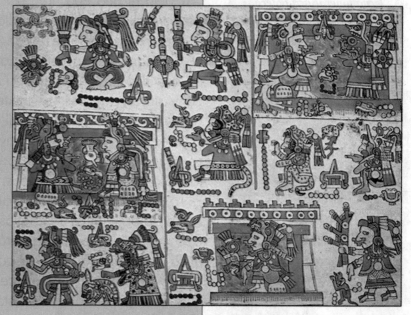

Códice mixteca.

Guerras frecuentes entre los distintos señoríos mayas.

Los zapotecas

Urna funeraria zapoteca.

Desde épocas muy remotas, los zapotecas se establecieron en los valles centrales del estado de Oaxaca. Construyeron represas y canales de riego y desarrollaron una agricultura variada, que a principios del Clásico daba sustento a numerosas aldeas. El corazón de esta zona era el centro ceremonial de Monte Albán.

Monte Albán fue construido en la parte alta de una serranía que domina los valles. Varias generaciones de zapotecas trabajaron para aplanar la cumbre y para edificar y engrandecer un conjunto de pirámides y plataformas que circunda a una enorme explanada, en la que se encuentra un extraordinario observatorio astronómico.

Monte Albán estaba dedicado al culto de las misteriosas deidades zapotecas y a la celebración de las victorias militares de este pueblo.

Los zapotecas fueron, junto con los mayas, el único pueblo de la época que desarrolló un sistema completo de escritura, en el que se combinan la representación de ideas y la de sonidos. Esta escritura ha sido descifrada sólo parcialmente.

Tumba con urnas funerarias. Monte Albán.

Hacia el año 800, tal como sucede en otras ciudades del Clásico, el esplendor de Monte Albán termina bruscamente. La cultura zapoteca continuó en los valles de Oaxaca y siglos después los mixtecas, que vivían en las serranías al norte y al este de Monte Albán, invadieron los valles y sostuvieron una larga lucha con los zapotecas.

Los mixtecas establecieron sus propios centros religiosos. Desarrollaron un estilo de cerámica caracterizado por su colorido y elaboraron códices muy bellos, que narran la historia de los grandes jefes de sus señoríos.

Joya de oro mixteca.

Establecimiento de Cacaxtla.

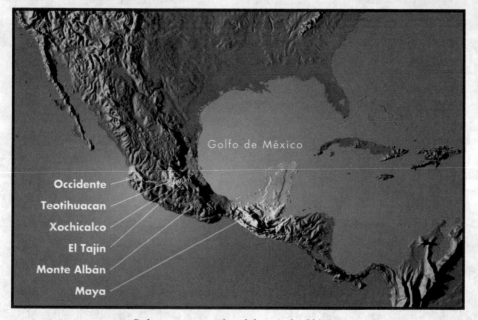

Culturas avanzadas del periodo Clásico.

Occidente
Teotihuacan
Xochicalco
El Tajin
Monte Albán
Maya

Golfo de México

ACTIVIDAD

En un mapa de México, con división política, marca con distintos colores las regiones donde se desarrollaron las culturas teotihuacana, maya, mixteca y zapoteca.

Investiga y contesta:
- ¿Qué estados de la República ocupan actualmente esos territorios?
- ¿Qué otras culturas se desarrollaron en esas entidades?
- ¿Qué grupos indígenas existen actualmente ahí?

Recobrando el pasado

El conocimiento de nuestro pasado indígena ha sido resultado de un esfuerzo laborioso de estudiosos mexicanos y extranjeros, que han tenido un gran amor por nuestra historia.

Aun los restos que mejor resisten el paso del tiempo, como los centros ceremoniales, requieren de un trabajo intenso y cuidadoso de rescate, que les devuelva su esplendor original.

Aquí puedes observar dos fotografías del centro ceremonial de Monte Albán. La primera es reciente. La segunda es de 1932, cuando el brillante antropólogo mexicano Alfonso Caso apenas iniciaba la exploración de esa zona. Compáralas y entenderás por qué la actividad de los arqueólogos es tan difícil y tan valiosa.

En México quedan por explorar a fondo muchísimos sitios arqueológicos, que seguramente nos reservan extraordinarias sorpresas.

Monte Albán es abandonado.

Decadencia de las ciudades mayas del sur.

Centro ceremonial
de Teotihuacan.

De Teotihuacan a Tenochtitlan

Golfo de México

Océano Pacífico

El imperio azteca y los pueblos vecinos en 1520.

 Imperio azteca

 Purépechas

 Tlaxcaltecas

 Señoríos mixtecas

La ciudad de los dioses

Cuando los aztecas llegaron al Altiplano a principios del siglo XIV, encontraron un inmenso centro religioso abandonado al que llamaron Teotihuacan. Tanta fue su impresión ante la grandeza del lugar, que pensaron que había sido construido por gigantes e inventaron el mito de que ahí se habían reunido los dioses para asegurar la existencia del mundo.

La reacción de los aztecas no fue exagerada. Teotihuacan es realmente el más notable de todos los centros religiosos de América. Cuesta trabajo creer que fue construido por un pueblo que no conocía las herramientas de metal, no tenía bestias de carga, ni utilizaba máquinas simples para facilitar las obras de edificación.

Escultura de jaguar, perteneciente a la cultura azteca.

Invasiones chichimecas en Mesoamérica.

Principia el periodo Postclásico.

Maqueta que reconstruye la ciudad de Teotihuacan.

A diferencia de otros centros religiosos que estaban separados de las aldeas y las ciudades, la zona ceremonial de Teotihuacan estaba rodeada por una gran concentración urbana que, según los investigadores, tenía en su momento de apogeo entre 125 mil y 250 mil habitantes y ocupaba unos 20 Km cuadrados. Era una de las cinco ciudades más pobladas en el mundo de aquella época.

Teotihuacan está situado en un amplio valle, a 45 Km de la Ciudad de México. La zona fue poblada desde épocas remotas, pero fue hasta el siglo I a.C. cuando se inició la construcción del centro ceremonial. Aunque éste fue edificado por etapas, al parecer fue planeado como conjunto, según lo indican la armonía y funcionalidad de la distribución de los edificios.

El origen de los fundadores de Teotihuacan es incierto. Los restos escritos prácticamente no existen en esa zona, por lo cual los historiadores sólo pueden hacer especulaciones. Algunos especialistas creen que los teotihuacanos pertenecían al mismo tronco racial del que se desprendieron después los toltecas y los mexicas.

Máscara de piedra decorada con mosaico de turquesa, concha nácar y coral.

Estas figuritas de barro pintado, con grandes tocados en la cabeza, nos muestran cómo vestían los antiguos habitantes de Teotihuacan.

Introducción de la metalurgia en Mesoamérica.

El conjunto ceremonial está formado por dos grandes pirámides, la del Sol y la de la Luna y por templos, plataformas y lugares de residencia distribuidos a los lados de la larga Calzada de los Muertos. El edificio mayor, la pirámide del Sol, tiene lados de 215 metros, por lo que su base es semejante a la más grande de las pirámides egipcias. El interior está formado por millones de adobes y material de relleno y su exterior es de grandes piezas de piedra, cortadas con exactitud para formar amplias escalinatas y planos verticales e inclinados.

Detalle de la pirámide de Quetzatcóatl, en Teotihuacan.

La parte residencial de la ciudad ha sido investigada por los arqueólogos, quienes nos dicen que las casas eran amplias y estaban hechas de adobe, piedra y madera. No tenían ventanas hacia la calle, sino que los cuartos recibían la luz de un patio central. Las casas tenían numerosos aposentos, por lo que se piensa que eran habitadas por familias de muchos miembros que se dedicaban al mismo oficio.

En Teotihuacan están representadas en pinturas y esculturas las deidades que, bajo distintos nombres, fueron veneradas después por otros pueblos mesoamericanos: las de la lluvia y el agua, el Sol y la Luna, y la serpiente emplumada llamada Quetzalcóatl por los aztecas, que representa a un dios civilizador, quien según el mito dio a los hombres la ciencia y la sabiduría.

Calzada de los Muertos. Al fondo se levanta la pirámide del Sol.

Sacerdote. Detalle de una pintura mural.

Uxmal, esplendor maya.

La influencia de Teotihuacan

Las tierras agrícolas que rodean a Teotihuacan son buenas y en aquella época habían en la zona manantiales permanentes. Sin embargo, no es posible que esa región fuera la única fuente de alimentos para la ciudad. Es probable que los teotihuacanos cultivaran las zonas húmedas cercanas a los lagos del Valle de México y que utilizaran chinampas para sembrar.

Una fuente importante de riqueza fue el comercio. En Teotihuacan se fabricaba cerámica muy apreciada y había muchísimos talleres que producían instrumentos cortantes de obsidiana, que obtenían en los yacimientos de la región.

La dominación de Teotihuacan se extendió a muchas zonas de Mesoamérica. Unas estaban bajo autoridad directa, otras pagaban tributo a la gran ciudad. La influencia cultural fue muy fuerte y se advierte en Veracruz, entre los zapotecas y en la región maya. Como ejemplo, cerca de la actual ciudad de Guatemala se encuentra un centro ceremonial que es casi una copia en miniatura de Teotihuacan.

En algún momento del siglo VIII el esplendor teotihuacano tuvo un violento final. La ciudad fue saqueada, quemada y deliberadamente destruida. Como en el caso de otras ciudades del periodo Clásico, no sabemos si los recursos naturales se agotaron y estalló una sangrienta lucha social, o si Teotihuacan fue derrotado por un pueblo más poderoso.

Cajita para guardar pigmentos.

Incensario de barro coloreado en el que los teotihuacanos quemaban ofrendas de copal en honor de sus dioses.

Estos instrumentos de obsidiana, hechos en el Altiplano de México, eran producidos por artesanos de una habilidad extraordinaria. Sin embargo, no podían competir con las herramientas metálicas de los europeos.

Colapso de Tula.

Florecimiento de Mitla.

El final del periodo Clásico

Cuando terminó el dominio de Teotihuacan, ningún pueblo logró establecer una influencia cultural y política que abarcase a toda Mesoamérica. La prosperidad de otras civilizaciones clásicas se conservó todavía durante unos 200 años, pero en regiones que tenían poca comunicación entre sí. Como viste en la lección anterior, ese fue el caso de los mayas del sur y de los zapotecas. También subsistieron señoríos avanzados en el Altiplano, como Cholula y Xochicalco; en el norte de Veracruz floreció el centro ceremonial de El Tajín y en los estados de Nayarit, Jalisco y Colima se desarrolló la que los historiadores llaman cultura de Occidente.

Ese fue el último esplendor de las culturas clásicas. Para el siglo IX todos los grandes centros ceremoniales habían sido destruidos o abandonados. Se inició entonces una época de grandes migraciones y mezclas de pueblos, de desorden y guerras, que sólo terminaría con el establecimiento de una nueva civilización dominante: la de los toltecas de Tula.

Guerrero con casco, peto y un garrote en las manos. Su actitud ¿a qué deporte actual te recuerda?

En los estados de Nayarit, Jalisco y Colima se han recuperado muchas piezas de cerámica. Son pequeñas y muy originales; varias de ellas representan animadas escenas de la vida cotidiana.

El Tajín

Al norte del territorio olmeca, en el actual estado de Veracruz, floreció a fines del Clásico una ciudad que llamamos El Tajín. No se sabe si sus construcciones fueron huastecas, totonacas, o gente de otra cultura. Rodeada por otros edificios se alza entre las colinas de esta zona selvática la Pirámide de los Nichos. Lleva ese nombre porque está cubierta por 365 nichos (pequeños huecos en los muros), lo cual podría indicar que estaba relacionada con el año solar de 365 días.

Señoríos mixtecas en Monte Albán.

*Brujo chichimeca
encendiendo fuego.*

El periodo Postclásico

El periodo Postclásico o histórico,
como también lo llaman los especialistas, se inicia hacia el año 800 y
termina en 1521, cuando los españoles
tomaron la capital del imperio azteca.

*Hachas de
piedra.*

El fenómeno que caracteriza al Postclásico es
la invasión de Mesoamérica por parte de pueblos
seminómadas que provenían del norte, de la vasta extensión de Aridoamérica. Estos pueblos se asentaron en Mesoamérica, se mezclaron con los antiguos pobladores y asimilaron muchos elementos de las
culturas clásicas. Con el tiempo, crearían una nueva civilización, com-
parable a las más avanzadas del continente americano.

Es también en esta época cuando se desarrollan las técnicas para
fundir y trabajar metales como el oro, la plata y el cobre. Estas técnicas se inventaron en la región andina y probablemente llegaron a
Mesoamérica a través de comerciantes que navegaban por las costas
del océano Pacífico. Aunque los pueblos del Postclásico fueron artesanos maravillosos, no utilizaron los metales con fines prácticos, sino
únicamente en la fabricación de joyas y adornos.

*Escudo o chimalli de oro con
incrustaciones de turquesa,
encontrado en Oaxaca.*

▶ *El Castillo, en Chichén Itzá,
es una muestra de la influencia
tolteca.*

Tribus chichimecas
invaden las grandes
ciudades civilizadas.

Aridoamérica

Situada entre las dos grandes cordilleras en que se separa la Sierra Madre, Aridoamérica era desde aquella época una región de lluvias escasas e irregulares, con grandes llanuras y serranías semidesérticas. Sus pobladores tenían una cultura primitiva y la mayor parte de ellos vivía de la caza y la recolección. Otros practicaban la agricultura de temporal y en unos cuantos lugares, como Paquimé en Chihuahua, se desarrollaron prósperas zonas de cultivo, que mantenían relaciones de comercio con las civilizaciones de Mesoamérica.

Las difíciles condiciones de vida hicieron a los habitantes de Aridoamérica guerreros duros y temibles. Muchos usaban el arco y la flecha, arma muy superior a la vara para lanzar dardos, llamada *atlatl*, que se utilizaba en Mesoamérica. Los aztecas llamaban *chichimecas* a esos pueblos, término que alude a su lenguaje y costumbres primitivos y que también fue empleado por los españoles. Seguramente se les olvidaba a los orgullosos aztecas que ellos también habían sido alguna vez chichimecas.

Ataque a una fortaleza en la cumbre de un cerro.

Sacrificio de un prisionero.

◀ *Ruinas de Paquimé.*

Destrucción de Tula.

Los Atlantes: representación de guerreros toltecas.

Los toltecas

Varias oleadas de invasores del norte se asentaron en Mesoamérica desde finales del Clásico. Una de ellas fue la de los purépechas, también denominados tarascos, que se establecieron en las cercanías de los lagos del actual estado de Michoacán. Pero de todos los grupos recién llegados, el más importante fue el que dio origen al señorío tolteca de Tula.

Los invasores se mezclaron con la población de los valles del actual estado de Hidalgo y hacia el año 1050 habían convertido a Tula en una gran ciudad, capital de un imperio que dominaba el centro de México y que extendía su influencia a regiones muy alejadas.

En su época de apogeo, Tula llegó a tener unos 40 mil habitantes, que practicaban la agricultura utilizando pequeños sistemas de represas y canales, porque en esa región las lluvias no son abundantes. Al parecer, las familias emparentadas entre sí construían sus casas contiguas y las separaban del exterior con un muro.

El centro ceremonial de Tula tiene pirámides, habitaciones y juegos de pelota. Se distinguen ahí grandes figuras de guerreros, llamadas *Atlantes*, y se construyó por primera vez el *tzompantli*, un muro en el que se colocaban las cabezas de los sacrificados.

La guerra adquirió entre los toltecas mayor importancia que la que ya tenía en las culturas del Clásico. Es en Tula donde aparecen los mi-

Representación de Tláloc, dios de la lluvia.

Llegan al Valle de México las tribus nahuatlacas.

Apogeo de Chichén Itzá.

litares profesionales, organizados en sectas o hermandades que se identificaban con ciertos animales: los guerreros águila, jaguar o coyote. También hay evidencia de que aumentó el número de los sacrificios humanos, sobre todo el de cautivos de guerra. Este espíritu militarista fue característico de todas las culturas del Postclásico.

Los toltecas extendieron su influencia no sólo mediante la guerra, sino también a través del comercio. En Tula, como en Teotihuacan, se trabajaba la obsidiana y la cerámica. Sus artesanos tenían la fama de producir los objetos más bellos y complicados de Mesoamérica. Según un poema prehispánico, el genio de los artistas toltecas se debía a que "ponían su corazón en el trabajo". Los productos de Tula se han encontrado en lugares tan alejados como Honduras y el sur de Estados Unidos. Los toltecas, a su vez, recibían artículos tan distintos como la turquesa extraída en el actual Nuevo México y la cerámica de Centroamérica.

El final de Tula se parece al de Teotihuacan. Hacia 1170 la ciudad y su centro ceremonial fueron saqueados y semidestruidos. Sin embargo, la influencia de los toltecas sobrevivió en varios sitios. El ejemplo más notable de la influencia tolteca está en Chichén Itzá, Yucatán, situada a más de 1000 Km de Tula y cuya arquitectura y representaciones religiosas se parecen extraordinariamente a las de la capital tolteca.

Bajorrelieve con la forma de un coyote.

Cabeza de guerrero, escultura en cerámica recubierta de concha nácar.

En la página anterior puedes ver las ruinas del templo de la Estrella de la Mañana, en Tula; y el Templo de los Guerreros, en Chichén Itzá, en esta página. ¿Cuáles son las semejanzas que encuentras?

Huitzilopochtli es el dios principal de los aztecas.

Según la leyenda, los aztecas partieron de Aztlán, el Lugar de las Garzas *o de la Blancura, situado en el norte.*

Los aztecas

Cuando estabas en cuarto grado estudiaste la historia de los aztecas, o mexicas, como también se les conoce. Recordarás que hacia el año 1300, ellos fueron la última tribu del norte árido en arribar a Mesoamérica. Eran un pueblo pobre y atrasado y fueron mal recibidos por los habitantes de los señoríos de origen tolteca ya establecidos en el Valle de México.

Los aztecas vagaron durante años, sin poder establecerse ni en las peores tierras del Valle, hasta que en 1344, según cuenta la leyenda, encontraron en unos islotes abandonados la señal de que ahí deberían fundar su ciudad. Ya asentados, los aztecas estuvieron por varias décadas bajo el dominio del poderoso señorío de Azcapotzalco, al que servían como soldados a sueldo.

Representación de Chicomóztoc, el Lugar de las Siete Cuevas, *sitio de origen de las tribus chichimecas que poblaron el Valle de México.*

Hacia 1430, los aztecas habían asimilado la cultura de los pueblos avanzados del Valle y se habían convertido en un eficiente poder militar. Atacaron y derrotaron entonces a Azcapotzalco y se transformaron en uno de los más fuertes señoríos de la región. Iniciaron así una sorprendente hazaña guerrera, que en sólo 70 años los haría dueños del más grande imperio que había existido en Mesoamérica.

Los aztecas formaron una alianza con los señoríos de Texcoco y Tacuba y bajo el mando de notables jefes militares, como Moctezuma Ilhuicamina y Ahuítzotl, los aztecas conquistaron el centro de México, Veracruz, la costa de Guerrero, parte de Oaxaca y dominaron el territorio de Soconusco, en los límites con Guatemala. Sólo unos cuantos pueblos lograron resistir el empuje mexica: los purépechas, los tlaxcaltecas y algunos señoríos mixtecas.

La fundación de Tenochtitlan, según el Códice Durán.

Los aztecas llegan al Valle de México.

Fundación de Tenochtitlan.

La organización del imperio

Las conquistas de los aztecas fueron resultado de su organización militar y del valor de sus soldados. Siguiendo el ejemplo de los toltecas, formaron hermandades de guerreros profesionales, pero además cada hombre en edad de combatir tenía entrenamiento y obligaciones militares. El poder de los aztecas se debía también a la habilidad de sus gobernantes, quienes obtenían alianzas con otros pueblos, aprovechaban las divisiones que existían entre sus adversarios y convencían a muchos señoríos de que les convenía más ser vasallos de Tenochtitlan que enfrentarse a los riesgos terribles de una guerra.

Lámina de un códice que muestra algunas de las conquistas del tlatoani Axayácatl.

Algunas regiones del imperio azteca eran gobernadas directamente por funcionarios nombrados en Tenochtitlan. En otros señoríos, que habían aceptado pagar tributo a los aztecas, la administración estaba a cargo de la nobleza local, que debía rendir cuentas ante los gobernantes de la capital imperial. En ciertos lugares ventajosamente situados, los aztecas establecieron fortalezas y guarniciones que vigilaban los territorios dominados y la seguridad de las rutas comerciales.

Los tributos llegaban a Tenochtitlan de todas las regiones del imperio: alimentos, tejidos, artículos preciosos, y también cautivos destinados al sacrificio. Esa riqueza convirtió a la capital azteca en una ciudad deslumbrante.

Guerrero águila, imponente escultura en barro encontrada en el Templo Mayor.

Arma mexica con filo de obsidiana. Observa en la ilustración de arriba cómo se usaba.

Señoríos purépechas en Michoacán.

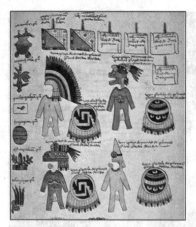

Página de un códice donde se registran minuciosamente los tributos que debía entregar cada pueblo.

En las chinampas, los aztecas cultivaban verduras, flores y plantas medicinales.

▶ *La maqueta reproduce la estructura del templo mayor. Observa que hay varias edificaciones, unas encima de las otras. Cuando un pueblo prosperaba y tenía más recursos, levantaba templos más grandes sobre las construcciones anteriores.*

La gran Tenochtitlan

Los historiadores tienen opiniones diferentes sobre el número de habitantes que tenía la capital azteca antes de la llegada de los españoles. Se cree que como mínimo tenía 100 mil, pero algunos estiman que pasaba de 200 mil. En cualquier caso, era más grande que las capitales de los reinos de Europa.

Como recuerdas, Tenochtitlan fue construida en islotes situados en el interior de uno de los lagos de poca profundidad, que en aquella época cubrían la mayor parte del Valle de México. Los aztecas ampliaron y consolidaron los terrenos para edificación y los unieron con el exterior mediante tres amplias calzadas y acueductos que conducían agua pura a la ciudad. Muchos canales cruzaban la capital azteca y por ellos transitaban miles de canoas, como lo hacen los autos y camiones en las avenidas de una población moderna.

En el centro de la ciudad estaba el recinto sagrado, formado por decenas de templos y palacios, entre los que destacaba el Templo Mayor, dedicado a Tláloc, dios de la lluvia y a Huitzilopochtli, dios del Sol, a quien los aztecas consideraban su protector.

La ciudad estaba dividida en barrios, llamados *calpulli*, cuyos habitantes disfrutaban de tierras de cultivo. Los agricultores sacaban agua de los canales para regar sus huertos, y estaba muy extendida la siembra en chinampas, que siempre están húmedas y producen cosechas excelentes, pero que deben ser cultivadas a mano, delicada y laboriosamente.

Nacimiento de Nezahualcóyotl.

Los aztecas derrotan al señorío de Azcapotzalco.

La sociedad azteca

Las diferencias de categoría social eran muy acentuadas entre los aztecas. La cúspide de la sociedad era ocupada por los *pipiltin*, miembros de una nobleza hereditaria y que desempeñaban los puestos más altos del gobierno, el ejército y el sacerdocio. Los nobles escogían dentro de su propio grupo a un jefe supremo a quien llamaban *tlatoani*, palabra que en lengua náhuatl significa el que habla. Este jefe era tratado con reverencia y gobernaba hasta su muerte, pero a diferencia de los reyes europeos su poder no era absoluto, porque debía rendir cuentas de sus actos ante quienes lo habían elegido.

Otras personas que disfrutaban de privilegios eran los comerciantes de largas distancias, quienes servían al gobierno como embajadores y espías. También eran muy respetados los artesanos notables, los médicos y los maestros verdaderamente sabios.

El grupo social más numeroso era el de los *macehualtin*, dedicados a la agricultura y a los oficios comunes. Trabajaban la tierra en unidades familiares y se quedaban con el producto obtenido, pero la tierra misma era propiedad colectiva de los habitantes del barrio o *calpulli*.

En la parte inferior de la sociedad se encontraba un tipo de campesino que, como los siervos de Europa, estaba ligado a las tierras de la nobleza y tenía la obligación de cultivarlas, a cambio de una parte de la cosecha. En una posición aún más baja estaban los esclavos, poco numerosos y que caían en esa condición como cautivos de guerra, por deudas o por haber cometido delitos.

El mayor de los mercados aztecas estaba en Tlatelolco. La escena es una interpretación del pintor Diego Rivera.

▼ *Al mercado de Tlatelolco acudían miles de personas para comprar y vender artículos producidos en toda Mesoamérica. Esta reconstrucción de una escena cotidiana se exhibe en el Museo Nacional de Antropología e Historia, en la ciudad de México.*

Se termina la construcción del Templo Mayor.

La religión

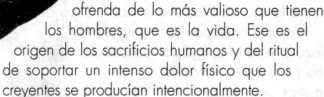

Sahumador usado como instrumento musical e incensario en fiestas relacionadas con el fuego.

Los aztecas eran un pueblo de profunda religiosidad. Para las personas como nosotros, que nacimos en el siglo XX, no es fácil entender el significado de las creencias religiosas de nuestros antepasados, ni el papel que desempeñaban en todos los actos de la vida de las personas, desde el nacimiento hasta la muerte.

Los aztecas tenían numerosas deidades, que representaban a los fenómenos de la naturaleza y de la existencia humana. Creían que el equilibrio del mundo natural, los procesos que hacen posible la vida -como la lluvia o la luz del Sol- y el destino de las personas, dependían de la voluntad de esas deidades. Algunas de ellas eran figuras bienhechoras, otras tenían características aterradoras.

Pensaban los aztecas que se debía reconocer el poder de los dioses y demostrarles gratitud, para evitar las catástrofes que su ira o su indiferencia podían acarrear a los hombres. Por esa razón había tantos ritos religiosos y se construyeron monumentales centros ceremoniales. La existencia de los dioses y su buena voluntad se conservaban con la ofrenda de lo más valioso que tienen los hombres, que es la vida. Ese es el origen de los sacrificios humanos y del ritual de soportar un intenso dolor físico que los creyentes se producían intencionalmente.

Cuchillo de obsidiana utilizado para los sacrificios.

► *La presencia de la cultura tolteca en el arte mexica resulta muy clara en esta escultura del Chac -Mool.*

Nacimiento de Cuauhtémoc.

La educación y los valores morales

A diferencia de lo que sucede con otros pueblos de Mesoamérica, de quienes quedan pocos testimonios escritos, conservamos numerosos textos de los aztecas y los grupos de habla náhuatl: narraciones históricas, poemas, consejos sobre la manera de conducirse y reflexiones religiosas. Esos escritos nos permiten conocer las ideas que tenían nuestros antepasados sobre la educación, los valores morales y las relaciones entre las personas.

A mediados del siglo XVI dos médicos indígenas, Martín de la Cruz y Juan Badiano, recopilaron el conocimiento que tenían los aztecas sobre las plantas medicinales. Dibujaron cada planta y redactaron minuciosas recetas para utilizarlas.

Los aztecas pensaban que la educación era un bien muy valioso y trataban de que las niñas, los niños y los jóvenes asistieran a la escuela. Había dos tipos principales de escuela, llamadas *tepochcalli* y *calmécac*. Mujeres y varones asistían a ambas, pero lo hacían separados unas de otros.

El *tepochcalli* estaba destinado a los hijos de familias comunes y corrientes y existía uno en cada barrio. Ahí se enseñaban la historia, los mitos, la religión y los cantos ceremoniales de los aztecas. Los varones recibían un intenso entrenamiento militar y aprendían cuestiones relacionadas con la agricultura y los oficios. Las mujeres se educaban para formar una familia y en las artes y oficios que ayudarían al bienestar de su futuro hogar.

Los maestros eran admirados por los aztecas, pero no era fácil ganar ese respeto. El párrafo que sigue define, con el característico estilo literario náhuatl, la figura ideal del maestro.

Maestro de la verdad,
no deja de amonestar.
Hace sabios los rostros ajenos...

Les abre los oídos, los ilumina.
Es maestro de guías,
les da su camino,
de él uno depende...

Gracias a él, la gente humaniza su querer
y recibe una estricta enseñanza.
Hace fuertes los corazones,
conforta a la gente,
ayuda, remedia, a todos atiende.

ACTIVIDAD

Cuando termines la lección, comenta con tus compañeros:

¿Qué opinan de la forma de educación de los niños y los jóvenes aztecas? ¿Qué diferencias encuentran entre esa forma de educación y la actual?

Expansión del imperio mexica.

La enseñanza de la escritura era parte fundamental de la educación.

En el *calmécac* recibían educación los hijos de la nobleza, con el propósito de formar a los nuevos dirigentes militares y religiosos.

La preparación para la guerra era completa y se ponía gran atención a la escritura de códices y a la interpretación de los calendarios, por la importancia que esas dos actividades tenían en la religión y la vida de la comunidad.

Los conocimientos y capacidades que se enseñaban en las escuelas eran importantes para los aztecas, pero lo que más les interesaba era que las generaciones jóvenes aprendieran las formas de conducta y los ideales que para ellos eran buenos y correctos.

Orquesta mexica.

Los aztecas apreciaban la solidaridad en las familias, y pensaban que cada uno de sus miembros debía cumplir las obligaciones que le correspondían, según su edad y su sexo. A los padres se debía obediencia y los ancianos merecían el mayor respeto. Eran muy severos para castigar los vicios y la deshonestidad y juzgaban como grandes defectos la soberbia y la falta de consideración con la gente.

Estas normas de conducta se transmitían de generación en generación, en forma de preceptos y consejos, que fueron recogidos por los primeros misioneros que llegaron a México.

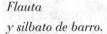

Flauta y silbato de barro.

ACTIVIDAD

Investiga en las líneas del tiempo y responde:

Mientras Teotihuacan estaba en su esplendor, ¿qué sucedía en Europa? Y cuando se fundó Tenochtitlan, ¿qué ocurría en el continente europeo?

Sube al trono Moctezuma II, llamado Xocoyotzin.

Cuauhtémoc es nombrado señor de Tlatelolco.

Aparecen los españoles

El tlatoani Ahuítzotl, uno de los más capaces jefes militares de los aztecas, murió en 1502. Antes de su muerte recomendó a los nobles principales que eligieran como sucesor a su sobrino Moctezuma, llamado *Xocoyotzin*, que significa el joven.

En el reinado de Moctezuma, el poderío de los aztecas llegó a su punto más alto y la autoridad del *tlatoani* se fortaleció. Justamente entonces, en abril de 1519, los mensajeros del gobernante le confirmaron unos rumores que había escuchado: en la costa del Golfo, por el rumbo de Veracruz, habían aparecido unos hombres extraños, blancos y barbados, que viajaban en canoas, grandes como casas.

▼ *Un súbdito de Moctezuma observa la llegada de los barcos españoles.*

▶ *Moctezuma II, según la imaginación de un pintor europeo.*

Hernán Cortés llega a Mesoamérica.

Centro ceremonial de
Machu Picchu, en Perú.

Las civilizaciones de los Andes

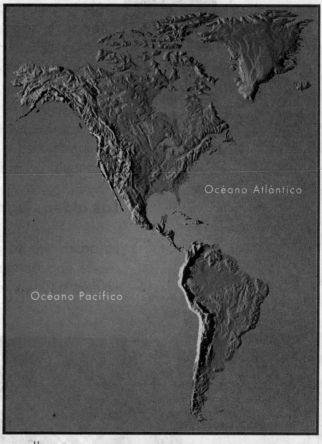

Ubicación de la región andina.

La región andina

La cordillera de los Andes recorre Sudamérica de norte a sur, como si fuera una gigantesca columna vertebral. Todos los paisajes y todos los climas imaginables se encuentran en los Andes y en las regiones más bajas que bordean las montañas al este y al oeste: cumbres nevadas de más de 5 mil metros de altura, desiertos y llanuras, pequeños valles de tierras fértiles, selvas tropicales y largas playas arenosas.

En la parte central de la región andina se desarrollaron a lo largo de 2500 años civilizaciones urbanas, sostenidas por una agricultura diversificada y por el aprovechamiento de los recursos del mar. Es una zona muy extensa, que corresponde al actual territorio de Perú, Ecuador, el norte y centro de Chile, el oeste de Bolivia y el noroeste de Argentina.

Cuchillo de filo curvo, de oro y turquesa, con la representación del dios Sol.

Aldeas agrícolas en Perú y Ecuador.

Se producen telas de algodón.

c. 2500 a.C.

c. 2100 a.C.

Muñeca de trapo peruana.

Las civilizaciones de la región andina crearon técnicas avanzadas, que se aplicaron en la construcción de edificios, caminos y puentes, en el trabajo de los metales, en la cerámica y en la fabricación de telas. Ahí surgieron gobiernos poderosos, con una organización bien planeada y se desarrollaron religiones que, como en Mesoamérica, tenían una influencia muy grande en la vida de las personas.

En contraste con esos adelantos, ninguna de las civilizaciones andinas logró crear un sistema de escritura. Por eso, todo lo que sabemos sobre ellas se basa en el estudio de restos materiales que se han conservado y en las narraciones y descripciones escritas después de la conquista española.

Las telas

A diferencia de Mesoamérica, en las regiones andinas se conservan restos de los vestidos usados por los nobles y por la gente común. Eso es posible por la sequedad del suelo de algunas regiones cercanas al mar.

La ropa más usual era una especie de capa, con aberturas para la cabeza y los brazos. Para fabricarla, los pueblos andinos usaban la fibra del algodón y el sedoso pelo de las llamas y las alpacas. Usaban como adorno conchas marinas y pedazos de metal.

El color de la ropa y los dibujos que la adornaban eran muy importantes, porque indicaban la categoría que las personas ocupaban en la sociedad.

Las aldeas agrícolas

La agricultura se desarrolló en la zona andina desde épocas muy antiguas, pues en el tercer milenio a.C. ya existían aldeas permanentes en las tierras bajas cercanas al océano Pacífico y después aparecieron en los valles fríos de la montaña.

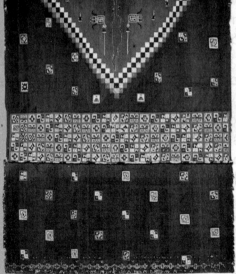

Vasija de barro en forma de mazorcas de maíz.

Como los climas son tan variados en esa región, se cultivaron muchos vegetales distintos: maíz, calabaza, chile y cacahuate. En las tierras altas se cultivó la papa y en las zonas cálidas la mandioca, que es una raíz muy nutritiva, semejante a la que en México llamamos yuca.

Arpón utilizado por los antiguos habitantes de Chile para cazar leones marinos.

Primeros objetos de cerámica.

Inicio de la cultura de Chavín.

Más o menos en el año 2 mil a.C. se empezó a cultivar el algodón y los campesinos aprendieron a tejer telas. Eso sucedió dos siglos antes de que supieran fabricar cerámica, lo cual es sorprendente porque, como recordarás, los hombres de las culturas antiguas de Europa y Oriente primero aprendieron a fabricar cerámica y mucho tiempo después a tejer telas. Hacia el año 1800 a.C. se empezaron a construir pequeñas represas y canales, que aprovechaban las aguas de los ríos y arroyos que bajan de los Andes hacia el Pacífico. Además, como en las zonas montañosas las tierras de sembradío son escasas, los agricultores aprendieron a edificar terrazas, como lo hicieron los campesinos de China y Japón. Así tenían más terreno plano para sembrar y evitaban que las lluvias arrastraran la tierra fértil.

Araña de cobre. La representación de animales era frecuente entre los antiguos pueblos sudamericanos.

Un invento de los pueblos andinos fue el de las técnicas para fundir metales. Utilizaban pequeños hornos, que tenían tubos delgados para soplar al interior y avivar el fuego. Fundían metales blandos, como el oro, la plata y el cobre, con los que producían objetos de adorno, pero rara vez herramientas de trabajo.

Hombre-felino, figura pintada en una manta. Pertenece a la cultura de Paracas.

Sembrar en terrazas

En los valles montañosos es difícil sembrar, porque son escasas las tierras más o menos planas. Por ello, los pueblos andinos hicieron un enorme esfuerzo para construir terrazas. Fíjate en la superficie que los campesinos le ganaron a la montaña.

Cuchillo de filo curvo.

Cultura de Paracas.

La cultura de Chavín

El buceo era una actividad frecuente. Al examinar los restos humanos encontrados en la zona, los científicos han descubierto, en los pequeños huesos del oído, una lesión que sufren quienes pasan mucho tiempo bajo la superficie del agua.

Hueso con figuras labradas.

Al empezar el primer milenio antes de Cristo, existían culturas agrícolas avanzadas en varias partes de la región andina. Entre ellas, la primera que ejerció influencia extensa y duradera fue la cultura de Chavín, llamada así porque su centro ceremonial más importante está en un sitio conocido como Chavín de Huántar.

El centro ceremonial fue edificado en un estrecho valle, en las faldas de los Andes. El templo principal, lleno de galerías y pasadizos ocultos, estaba dedicado a un extraño dios con rostro de jaguar, venerado aun en regiones alejadas.

Los habitantes de Chavín construyeron sistemas de riego y crearon un estilo de cerámica imitado por otros pueblos. Los artesanos inventaron la técnica para soldar metales, lo que les permitió fabricar complicadas piezas de oro y plata.

El centro ceremonial de Chavín fue abandonado hacia el año 200 a.C. Otras culturas aparecerían en la región, pero los habitantes de Chavín habían creado ya la primera cultura unificadora de los Andes, en forma semejante a lo que hicieron los olmecas en Mesoamérica.

En el arte de los pueblos de la costa andina es común la representación de animales marinos, como esta orca, o ballena asesina. El mar era parte importante de la vida de estos pueblos, que pescaban en pequeños barcos o buceaban para extraer moluscos.

▶ *Escena de un sacrificio grabada en piedra. Cultura de Chavín.*

Cultura nazca.

Antes de los incas

Tras la decadencia de Chavín, tres grandes culturas se desarrollaron en la zona andina durante el primer milenio de nuestra era: la de Nazca y la moche o mochica, en las costas del Pacífico y la de Tiahuanaco y Huari en las tierras altas de los Andes.

Los pueblos nazca y moche fueron extraordinarios ceramistas y tejedores. Practicaron la agricultura de riego y explotaban distintas especies marinas mediante la pesca y el buceo.

Los centros ceremoniales de estos pueblos fueron construidos de adobe. En la región del valle de Moche, por ejemplo, existen los restos de una enorme pirámide, en cuya construcción se emplearon más de 50 millones de adobes. Como ese material se daña al paso del tiempo, muchos testimonios de estas culturas han desaparecido. Además, los buscadores de tesoros han causado muchos daños en las zonas arqueológicas.

Las culturas de Tiahuanaco y Huari se desarrollaron unos 200 años después. La primera tuvo su centro en las cercanías del lago Titicaca, en Bolivia, y la segunda en las altas mesetas cercanas a la actual ciudad de Ayacucho, en Perú. Ambas crecieron en forma independiente, pero mantuvieron durante siglos un intenso intercambio de formas artísticas y de ideas religiosas.

Océano Pacífico

Las grandes culturas andinas.

 Chavín

 Nazca

 Moche

 Tiahuanaco

 Huari

Cultura nazca

El pueblo llamado nazca realizó una de las obras más sorprendentes y difíciles de explicar de América. En los secos lomeríos del sur de Perú, dibujaron unas figuras grandes, como la que ves en la ilustración, que miden en algunos casos más de 100 metros. Para trazarlos, los nazca quitaron las piedras de color oscuro que cubren la superficie del terreno y dejaron al descubierto la tierra más clara que está abajo.

Todo mundo se pregunta cómo fue que los nazca lograron mantener las proporciones y el trazo en superficies tan grandes y con un relieve irregular, que no se puede mirar en su totalidad a simple vista.

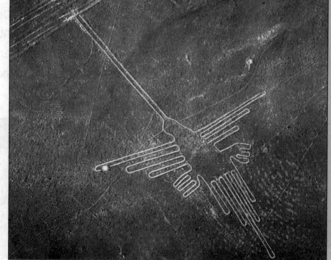

Cultura moche.

Cultura de Tiahuanaco.

La Puerta del Sol, en Tiahuanaco.

El centro ceremonial de Tiahuanaco es notable. Sus plataformas y templos están construidos con enormes bloques de piedra, cortados con exactitud. Algunos pesan más de 100 toneladas y no es fácil entender cómo fueron transportados y colocados en su lugar.

Tiahuanaco está situado a casi 4 mil metros sobre el nivel del mar. En esas alturas la agricultura no es fácil; fue necesario que los campesinos construyeran con grandes trabajos obras para mejorar y conservar la tierra. Esas obras nos hablan de una población disciplinada y de un grupo gobernante con gran autoridad.

Hacia el año 700 d.C. Tiahuanaco cayó en la decadencia. Ocho siglos después, los incas perfeccionarían las formas de organización social practicadas en la vieja cultura.

Los incas

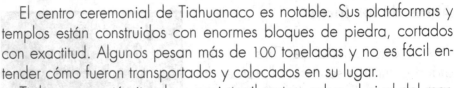

A principios del siglo XV el más poderoso señorío de la zona andina era el de Chimú, que controlaba una extensa franja de la costa del actual Perú. Mientras tanto, en las montañas el pueblo de los incas se fortalecía en el pequeño señorío de Cuzco.

Arete chimú.

Según la leyenda, el señorío inca fue fundado por el legendario Manco Capac a fines del siglo XIII, pero las conquistas incas sólo se iniciaron hacia 1440, bajo la dirección del hábil guerrero Pachacutec y de su sucesor Tupac Yupanqui. En sólo 50 años, los incas realizaron la enorme hazaña militar de establecer el imperio más extenso de América. Sus ejércitos sometieron a muchos pueblos de la región y otros prefirieron aliarse con el nuevo poder guerrero. Los incas establecieron una organización eficiente sobre el territorio e impusieron su lengua, el quechua, como idioma oficial del imperio.

ACTIVIDAD

En la plaza de Tiahuanaco hay altas figuras de guerreros, hechas con una sola piedra. Compara esta figura con la del Atlante de Tula, que aparece en la lección anterior. ¿Qué semejanzas encuentras? ¿Cómo las explicarías?

Cultura huari.

El gobierno

Los incas dividieron su imperio en regiones gobernadas por un funcionario nombrado por el jefe supremo, al que llamaban Inca, en singular. Así como lo hicieron los aztecas, les permitieron conservar sus costumbres y sus jefes a las comunidades que aceptaban de buen grado la autoridad imperial.

El imperio necesitaba muchos recursos para sostener a la corte del Inca, a los funcionarios y a los cultos religiosos, así como para construir enormes obras públicas. El gobierno del Inca obtenía esos recursos con una especie de tributo llamado *mita*, pagado en trabajo, y que las comunidades debían cubrir de acuerdo con su tamaño y con la especialización de sus trabajadores.

Los trabajadores cultivaban las tierras y cuidaban los rebaños de llamas que pertenecían al Inca y a la nobleza y construían caminos y templos. Algunos de ellos, como los tejedores más hábiles, permanecían largo tiempo al servicio del Inca. El gobierno, por su parte, alimentaba a esta población y atendía sus necesidades. De esta forma se creaban responsabilidades de ambas partes y el gobierno se fortalecía.

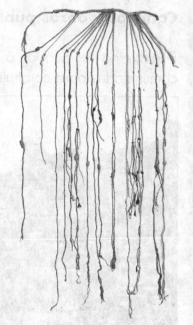

Océano Pacífico

Extensión del imperio inca en 1525.

Contar con nudos

Los incas usaban cuerdas de lana, llamadas quipu, *para contar y hacer operaciones aritméticas.*

Hacían nudos que tenían un valor numérico de acuerdo con la posición que ocupaban.

Esta pieza de cerámica es un silbato de agua, como los fabricados por casi todos los pueblos andinos. Al poner agua en el recipiente, el aire desplazado hace sonar un silbato que está oculto en la garganta del pato.

Cultura chimú.

Expansión inca.

Caminos y obras públicas

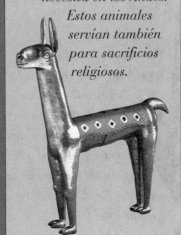

El gobierno del Inca logró organizar la capacidad de trabajo de las comunidades para construir obras públicas, que servían a todos y facilitaban la administración del imperio.

La obra más notable fue una extensa red de caminos, que medía por lo menos 25 mil kilómetros y que llegaba a todos los rincones del imperio. Sus constructores fueron hábiles ingenieros; en algunas partes aprovecharon el trazo de viejas veredas; en otras edificaron vías nuevas, protegidas contra los daños que podían causar las lluvias o las arenas del desierto. Para cruzar los torrentes y los abismos de la montaña, hicieron puentes colgantes que ahorraban fatigosas horas de marcha.

A lo largo de los caminos, se construyeron centenares de lugares llamados *tambos*, separados más o menos por un día de viaje, que servían como hospedaje para los viajeros y para almacenar las provisiones y los artículos que circulaban por el imperio.

Fortaleza inca.

La otra gran obra pública, que ya conoces, fueron las terrazas agrícolas, que los incas extendieron en las regiones montañosas. Millones y millones de horas de trabajo se consumieron en levantar y conservar los muros de piedra, en emparejar las tierras de cultivo y en construir canales para regar y eliminar el exceso de agua en las temporadas de lluvia.

Sistema de caminos.

La religión

La religión de los incas recogió muchas creencias de los antiguos pueblos andinos, lo que sirvió como elemento de cohesión en el imperio.

Como en la región no se desarrolló un sistema de escritura, tenemos un conocimiento impreciso sobre los mitos y las deidades andinas. Sabemos que el culto al Sol fue compartido por todos los pueblos, así como la veneración por las montañas, que parecen tocar el cielo y que dan vida a los ríos.

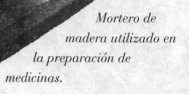

Mortero de madera utilizado en la preparación de medicinas.

Los incas tenían mitos propios. Creían en un dios creador, llamado Viracocha, relacionado con el Sol. La autoridad del Inca debía ser acatada porque era descendiente del Sol.

Los rituales religiosos se practicaban en centros ceremoniales y lugares de veneración. Los templos tenían numerosos sacerdotes y servidores permanentes, hombres y mujeres, que fabricaban telas y objetos preciosos dedicados al culto. Los sacrificios humanos eran parte común de los rituales, con un significado semejante al que tenían entre los pueblos mesoamericanos. Muchos restos arqueológicos muestran que la decapitación era la forma usual del sacrificio.

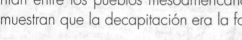

Máscara de oro con la representación del Sol.

Machu Picchu

En 1911 el explorador Hiram Bingham informó que, conducido por sus amigos indígenas, había encontrado en lo alto de los Andes, en Perú, los restos de una ciudad maravillosa: Machu Picchu, un centro religioso de los incas, que puedes ver en la primera página de esta lección.

El encuentro con los españoles

En 1525 el imperio inca seguía extendiéndose. Sus tropas habían invadido el actual territorio de Ecuador y el sur de Colombia, cuando se desató una mortal epidemia, probablemente de viruela. Entre los muchos hombres que murieron estaba el poderoso Inca Huayna Capac.

Dos de los hijos del caudillo muerto se enfrentaron. Los dos querían ser el nuevo Inca. La guerra estalló y el desorden se apoderó del imperio. Para desgracia de los incas, fue entonces cuando los primeros conquistadores españoles llegaron al territorio imperial.

Reloj solar en Machu Picchu.

Esplendor del imperio inca.

Llegada de los españoles.

Mapa de América, según Abraham Ortelius, 1588.

El Renacimiento y la era de los descubrimientos

Al estudiar la historia de la humanidad, te habrás dado cuenta de que hay épocas muy largas, que duran siglos enteros, en las cuales la vida de los seres humanos cambia poco y muy lentamente. En otras épocas, al contrario, las transformaciones son intensas y ocurren en un tiempo comparativamente corto.

En esta lección estudiarás una etapa de cambios muy profundos y rápidos: los 200 años que transcurren entre 1450 y 1650. En esos dos siglos, la ambición, la curiosidad y el ingenio de los seres humanos dieron origen a los grandes descubrimientos geográficos, a la invención de la imprenta, al crecimiento de las ciudades, al renacimiento de las artes, al desarrollo de las formas modernas de la investigación científica y a la formación de poderosas naciones europeas como España, Portugal, Inglaterra y Francia.

Principales reinos de Europa hacia el año 1500.

 Castilla y Aragón (España)

 Portugal

 Inglaterra

 Francia

Mona Lisa, *pintura de Leonardo da Vinci.*

Los turcos toman Constantinopla.

1453

Gutemberg imprime la Biblia.

c. 1455

Empiezan a usarse los signos de más y menos.

1480

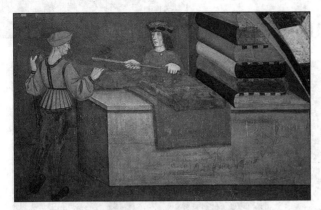

Comerciante de telas.

Estas transformaciones convirtieron a Europa en el continente más poderoso y avanzado del mundo. Algunas viejas civilizaciones, como China y Japón, se aislaron dentro de sus fronteras y evitaron durante algún tiempo la penetración europea. En otras regiones, en cambio, el arribo de los hombres y las técnicas de Europa representó un choque terrible, pues se convirtieron en colonias de las nuevas potencias. Ese fue el caso de las grandes civilizaciones de América y de algunas regiones de África, Asia y Oceanía.

El comercio y el desarrollo de las ciudades

Recordarás que una de las consecuencias de las Cruzadas fue el establecimiento de un próspero comercio desde el Oriente hacia Europa. Las especias, como se llama desde entonces a la pimienta, el clavo y la canela, así como la seda y la cerámica, llegaban a Constantinopla y Alejandría y desde ahí eran distribuidos por los ricos comerciantes de las ciudades italianas como Génova y Venecia.

El comercio también se desarrolló entre distintas regiones de Europa. Los cereales, el vino, la madera, las telas y los artículos de hierro eran transportados por mar, por los ríos navegables y por los caminos terrestres que se multiplicaron, aunque todavía eran malos e inseguros.

La canela, proveniente de China, era desconocida en Europa.

▶ *Las especias fueron objetos de comercio muy apreciados.*

Bartolomé Días llega al extremo sur de África.

Colón llega a América.

Las ciudades crecieron como consecuencia del comercio y de las actividades industriales, que se realizaban en talleres o en las casas de los artesanos, pues aún no existían las fábricas. Se estima que en 1500 había en Europa unas 100 poblaciones que pasaban de 20 mil habitantes. Te parecerán pequeñas si las comparas con las actuales, pero eran centros de una intensa vida política, intelectual y artística.

En las ciudades se formó un nuevo grupo social, integrado por comerciantes, fabricantes, prestamistas, médicos y otros especialistas. Con el tiempo, este tipo de personas adquirió poder y riqueza y empezó a luchar contra los privilegios de la nobleza. Debido a que a las ciudades se les llamaba *burgos*, a los miembros de este grupo se les denominó *burgueses*.

Los problemas del comercio

El comercio con Oriente tuvo grandes problemas en el siglo XV. El imperio mongol había protegido a los comerciantes, pero cuando éste se desintegró las rutas terrestres se hicieron muy peligrosas. Además, en Asia Menor se había fortalecido un pueblo guerrero de religión musulmana: los turcos otomanos.

En 1453 los turcos se apoderaron de Constantinopla. La hicieron su capital y cambiaron su nombre por el de Estambul. El viejo y debilitado imperio de Bizancio había llegado a su fin y se cerraba la principal vía de paso entre Europa y Oriente. Los europeos necesitaban encontrar un nuevo camino hacia India y China.

Sable otomano.

En el puerto de Brujas, en Bélgica, se empleaba esta enorme grúa movida por fuerza humana para levantar la carga.

▼ *Guerreros turcos.*

Apogeo del arte de Leonardo Da Vinci.

Vasco de Gama llega a la India.

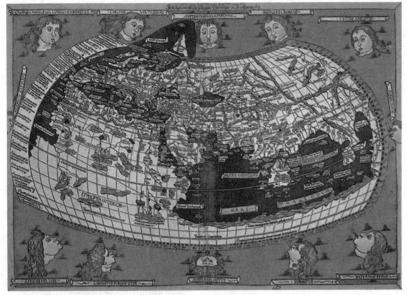

Esta copia del mapamundi de Ptolomeo muestra la imagen del mundo que tenía la gente más educada a mediados del siglo XV. Examina el mapa y te darás cuenta de la razón por la cual Colón creía que podía llegar a las Indias directamente si navegaba hacia Occidente.

Los viajes de descubrimiento

Desde principios del siglo XV los geógrafos y marinos europeos sabían que la Tierra era esférica. Esta idea la había sostenido en el siglo II Claudio Ptolomeo, un sabio de origen griego, pero sólo fue conocida en Europa después de 1400.

A partir de los escritos y mapas de Ptolomeo los navegantes pensaron en dos rutas posibles entre Europa y Oriente. La primera era navegar por la inexplorada costa de África hacia el Sur, buscando un paso hacia India. La segunda era navegar por el Atlántico hacia el Oeste, hasta topar con las costas de China.

Los avances que se habían logrado en la construcción de barcos hacían posibles los largos viajes por mares tempestuosos y desconocidos, pues las pesadas galeras del Mediterráneo, impulsadas por cientos de remeros, no servían para esa finalidad. El mejor barco era la carabela, un navío pequeño y macizo construido por los portugueses, cuyas velas de variadas formas ayudaban a navegar, aun con vientos desfavorables.

También habían progresado los instrumentos para orientarse en el mar. Los navegantes utilizaban la brújula y el astrolabio. Con ellos fijaban la dirección del navío y conocían su posición en relación con el Norte o el Sur, es decir, su latitud. Sin embargo, aún no sabían precisar la posición Este-Oeste -la longitud- y la estimaban al tanteo.

Astrolabio.

Se empieza a llamar América al Nuevo Mundo.

Miguel Ángel pinta la Capilla Sixtina.

Los viajes de los portugueses

Los marinos de Portugal fueron los primeros en aventurarse a lo desconocido. Un príncipe de ese reino, Enrique el Navegante, reunió a los mejores geógrafos, consiguió dinero y organizó viajes de exploración por la costa de África. En cada viaje, los barcos portugueses llega-

*Retrato de Enrique
el Navegante.*

ban más al sur. En uno de ellos, los marinos capturaron a un grupo de africanos y los llevaron de regreso para venderlos como esclavos. Así nació un negocio cruel, que provocó devastación en varias regiones de África y tuvo grandes consecuencias en la formación de la población de América.

En 1488 la terquedad de los marinos portugueses obtuvo su recompensa. Bartolomé Días llegó con dos barcos al extremo sur de África. Ante sus ojos, en dirección a India, se abría un inmenso mar. Días no siguió más allá; no tenía provisiones y su tripulación estaba agotada y atemorizada. Regresó a Portugal con la noticia de haber encontrado la nueva ruta hacia Oriente.

La hazaña de Portugal culminó 10 años después. El marino Vasco de Gama dio vuelta a África, recorrió la costa oriental de ese continente y llegó a India. Los portugueses fundaron después colonias comerciales permanentes en India y Oceanía. El tráfico de los codiciados artículos de Oriente se recuperó; sus principales beneficiarios eran ahora los audaces portugueses.

*Pintura del siglo XV que muestra
el comercio de esclavos.*

ACTIVIDAD

En 1588 el geógrafo Abraham Ortelius dibujó el mapa con el que se inicia esta lección; en él utilizó la información obtenida por navegantes y exploradores. Obsérvalo y compáralo con un mapa moderno. Haz una lista de los errores e inexactitudes que contiene el mapa de Ortelius y de las regiones que no aparecen en él. Compara tu lista con las que elaboren tus compañeros.

Vasco Núñez de Balboa
descubre el océano Pacífico.

Lutero inicia la
Reforma
Protestante.

Cristóbal Colón desembarcando en América, según un grabado francés.

Cristóbal Colón llega a América

Cristóbal Colón tenía un plan distinto al de los portugueses. Él creía que si navegaba hacia el oeste encontraría, más cerca de lo que otros suponían, las ricas tierras de India y Catay, nombre que los europeos de entonces daban a China.

Cuando estabas en cuarto grado estudiaste los viajes de Colón y seguramente recuerdas que el navegante buscó tercamente el apoyo de reyes y comerciantes para realizar su proyecto, hasta que los reyes de España, Isabel y Fernando, le dieron recursos para equipar tres carabelas y contratar a sus tripulaciones.

También te acordarás de los detalles del primer viaje y de cómo fue que, cuando los marinos comandados por Colón habían perdido la esperanza de encontrar tierra, llegaron a una pequeña isla en el mar Caribe. Era el 12 de octubre de 1492; unas semanas más tarde descubrieron las grandes islas de Cuba y la Española.

Colón realizó otros tres viajes a la misma región de América, el último de ellos iniciado en 1502. Descubrió Puerto Rico, Jamaica y Trinidad y recorrió las costas de Venezuela y América Central. Pero cada vez tuvo más problemas con los funcionarios del gobierno español. Enfermo y agotado por esfuerzos y penalidades, sin cosechar el fruto de su hazaña, murió en 1506.

Colón nunca supo que había llegado a un continente desconocido para los europeos. Murió creyendo que había navegado por tierras inexploradas de las Indias. De ese error nació el término indios, que los exploradores aplicaron a los nativos del continente. La equivocación de Colón no le quita sus méritos,

Dibujo italiano que interpreta el encuentro de Colón con los indígenas del Nuevo Mundo.

pues fue él quien abrió el camino entre dos mundos antes separados.

En las décadas que siguieron a los viajes de Colón, los navegantes europeos completaron la exploración de las costas de América. Los movía el espíritu de aventura y la ambición que despertaban en ellos los rumores sobre las fantásticas riquezas del Nuevo Mundo.

Enrique VIII separa a Inglaterra del catolicismo.

Se publican las obras de Copérnico y Vesalio.

Las rutas de los grandes viajes de exploración están señaladas en el mapa de esta página. Algunos de ellos tuvieron una importancia especial: en 1500, Pedro Álvarez Cabral llegó a las costas de Brasil y reclamó el territorio para el rey de Portugal; un año después, Américo Vespucio exploró el litoral de Sudamérica y argumentó que se trataba de un continente; en 1513 Vasco Núñez de Balboa cruzó Panamá y encontró un mar desconocido, el océano Pacífico.

Tal vez el ejemplo más dramático de los riesgos que corrían los exploradores es la expedición comandada por Fernando de Magallanes. Éste había ofrecido al rey de España que encontraría una nueva ruta a la India. Partió en 1519 con cinco barcos, recorrió la costa americana, dio vuelta en el extremo sur de América y de ahí navegó hacia el noroeste, hasta llegar a las islas Filipinas. Había sobrevivido tempestades y motines, hambre y sed y los extremos del clima, pero murió en un encuentro con guerreros filipinos. El piloto de Magallanes, Sebastián Elcano, condujo a los restos de la expedición de retorno, cruzando el océano Índico y costeando África. El viaje duró tres años. Habían dado la vuelta al mundo, pero a un costo terrible: sólo regresó un maltrecho barco, con 18 sobrevivientes de los 250 que iniciaron la travesía.

En esta reconstrucción de dos de los barcos de Colón, la Santa María *y la* Niña, *puedes observar la colocación de las velas y otros detalles.*

Una tripulación de 20 marineros era suficiente para manejarlos.

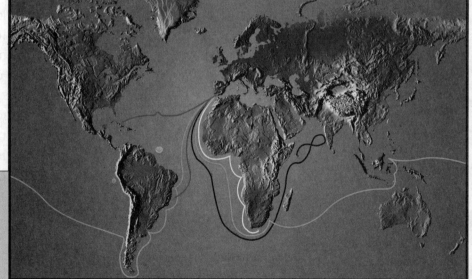

▶ *Principales rutas de navegación.*

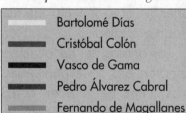

Bartolomé Días
Cristóbal Colón
Vasco de Gama
Pedro Álvarez Cabral
Fernando de Magallanes

El Lazarillo de Tormes, primera novela picaresca española.

Se introduce el tabaco en Europa.

Reforma de la Iglesia católica.

El Bautisterio en la ciudad de Florencia.

El Renacimiento en las artes

Al mismo tiempo que los navegantes y exploradores recorrían por vez primera nuestro planeta, los artistas de Europa encontraban formas nuevas de expresar sus ideas sobre la belleza y sobre la vida humana. A esta época del arte se le llama *Renacimiento*, porque los pintores y escultores, los arquitectos y los escritores querían recuperar la libertad y la calidad alcanzadas por el arte de los griegos y los romanos, y que se habían perdido durante la Edad Media.

Retrato de un prestamista y su mujer.

El Renacimiento se desarrolló primero en las ciudades italianas, como Florencia, Venecia y Roma. En ellas, los nobles, los comerciantes ricos y los jefes de la Iglesia, entusiasmados con las nuevas formas del arte, pedían a los artistas la realización de grandes obras y les proporcionaban los recursos necesarios. Los artistas encontraban así una forma de ganarse la vida decorosamente, dedicados a lo que más les importaba en la vida.

Tiempo después, el Renacimiento se extendió a las prósperas ciudades marítimas del norte de Europa, así como a Inglaterra, Francia y España. Nunca antes, en tantos lugares distintos, habían alcanzado las artes un florecimiento tan variado y original.

Los artistas del Renacimiento crearon dos tipos principales de obras: unas pertenecen a las artes visuales, como la pintura, la

Los genios del Renacimiento

Los artistas más notables del Renacimiento nos asombran por su talento, por la curiosidad que sentían por las cosas más diversas y por su enorme capacidad de trabajo. Casi ningún artista de aquella época se dedicó a una sola forma del arte: eran pintores, escultores y grabadores. Otros, como Miguel Ángel y Alberto Durero, eran además ingenieros que dirigían la construcción de grandes iglesias, palacios y fortificaciones. →

La Piedad, *escultura en mármol, de Miguel Ángel Buonarroti.*

Guerras de religión en Francia.

Inglaterra derrota a la armada española.

escultura y la arquitectura; otras son obras de literatura, como la poesía, la narración y el teatro. En las artes visuales se utilizaron muchos medios distintos: un dibujo en papel o un pequeño retrato pintado sobre una tabla, estatuas de bronce y mármol, o deslumbrantes construcciones en las que se combinaban la belleza de la arquitectura, pinturas realizadas en paredes y techos y complicados trabajos de escultura.

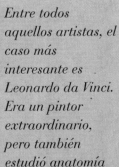

La nueva literatura también tuvo múltiples formas: la poesía con temas amorosos o religiosos, la narración cómica o trágica y el teatro, que se volvió un espectáculo de gran popularidad, en el que se representaban todos los sentimientos y problemas de la vida humana.

La literatura del Renacimiento tuvo una fuerte influencia en la evolución de las lenguas habladas en Europa, porque en las obras más importantes se encontraba un modelo del uso de la gramática, del vocabulario y del estilo de escribir. Esas lenguas, como el español, siguieron cambiando, pero a diferencia de lo que sucede con obras más antiguas como el *Poema del Mío Cid*, uno puede entender sin grandes dificultades los escritos de la época del Renacimiento.

Entre todos aquellos artistas, el caso más interesante es Leonardo da Vinci. Era un pintor extraordinario, pero también estudió anatomía humana, construyó canales y presas y registró los movimientos que hacen las aves al volar. En sus ratos libres, Leonardo imaginaba complicadas máquinas que ayudarían a los hombres a resolver problemas de la vida diaria y las dibujaba minuciosamente en su cuaderno. En las páginas de esos cuadernos encontramos el diseño de máquinas que se construirían realmente cuatro siglos después de la muerte de Leonardo: la bicicleta, el helicóptero, elevadores y excavadoras. Otras de las ideas de Leonardo eran irrealizables, como su ilusión de construir un aparato que permitiera al hombre volar empleando su propia fuerza.

El Nacimiento de Venus, famosa pintura del artista florentino Sandro Botticelli.

Se publica *Don Quijote de la Mancha*.

Kepler explica el movimiento de los planetas.

Página de la Biblia.

La imprenta

La difusión amplia de las obras escritas fue posible gracias a la invención de la imprenta. Hacia 1455 Juan Gutemberg, un mecánico alemán de gran ingenio, realizó la impresión del primer libro, una Biblia, de la que hizo unas 170 copias.

El uso de la imprenta se extendió muy pronto. Se calcula que en 1500 se habían impreso en Europa unas 30 mil obras distintas, desde sencillas hojas de oraciones hasta extensas obras de literatura, de ciencias y de técnicas. La imprenta causó una verdadera revolución, porque los conocimientos que antes estaban al alcance de unas cuantas personas, ahora podían ser aprendidos por todo aquel que supiera leer.

La imprenta de Gutemberg

La imprenta construida por Juan Gutemberg fue en realidad la combinación de tres inventos distintos: los tipos móviles de metal, la tinta y la prensa de impresión.

Tipos de metal.

Cada tipo móvil se fabricaba en un pequeño cubo de plomo. En él sobresalía la figura de una sola letra, mayúscula o minúscula. El impresor poseía una abundante colección de tipos, de la que seleccionaba letras para formar palabras y oraciones. Cuando completaba una página, la colocaba firmemente atada sobre una plancha de metal. Una de las habilidades que debía utilizar el impresor era la de escribir de derecha a izquierda, con las letras apuntando en dirección inversa a la normal. ¿Te das cuenta por qué?

Una vez colocadas las páginas en la plancha, se entintaban uniformemente. La tinta debía ser suficientemente espesa para adherirse a los tipos de metal y producir una marca nítida sobre el papel. Gutemberg adaptó para imprimir una antigua prensa, utilizada para extraer el jugo de las uvas. Con ella se presionaba una hoja de papel sobre la superficie entintada para obtener una reproducción pareja y clara. Es sorprendente la calidad del trabajo que lograron los primeros impresores, como lo puedes notar en la página de la Biblia, el primer libro producido en la imprenta de Gutemberg. Los adornos de color fueron agregados a mano.

Aunque al paso del tiempo la imprenta tuvo muchas mejorías técnicas, los fundamentos de la época de Gutemberg se siguieron aplicando hasta mediados del siglo XX para hacer libros, revistas y periódicos.

1610

Galileo descubre
los satélites de
Júpiter.

Mueren Miguel de
Cervantes y William
Shakespeare.

1616

La nueva ciencia

Muchas de las cosas que sabemos sobre los objetos de la naturaleza y sobre el funcionamiento del cuerpo humano fueron descubiertos por decenas de científicos que trabajaron entre 1450 y 1650. Ahora aprendemos en la escuela que el sistema solar existe, que la Tierra gira sobre sí misma o que la sangre circula en nuestro cuerpo impulsada por el corazón. Esas ideas parecen tan sencillas, que es difícil imaginar que hace 500 años eran desconocidas para el hombre.

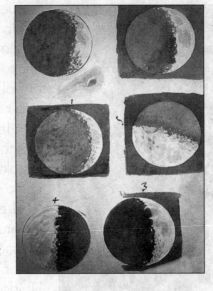

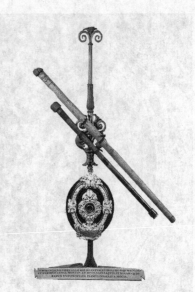

Los estudiosos de aquella época no sólo hicieron muchos descubrimientos. También aprendieron cómo debe trabajar un científico para entender los problemas que le interesan y para encontrarles explicaciones razonables. Se dieron cuenta de lo importante que es observar con cuidado y medir con precisión, imaginar soluciones y ponerlas a prueba por todos los medios, entre ellos los experimentos. Gracias a esos estudiosos aprendimos que un científico sólo sostiene lo que ha investigado y le parece verdadero, pero que está dispuesto a modificar sus ideas si la realidad le demuestra que está equivocado.

El telescopio permitió a Galileo realizar observaciones precisas de los cuerpos celestes. Estos dibujos de la superficie de la Luna fueron hechos por el propio astrónomo.

La curiosidad y la inteligencia de aquellos hombres abarcó todos los campos. Estudiaron a los animales, a las plantas y a las sustancias que existen en la naturaleza. Hicieron avanzar las matemáticas e inventaron los primeros instrumentos de observación, como el telescopio. Pero entre todos sus descubrimientos, tal vez los más notables fueron entender los movimientos de la Tierra y conocer cómo es por dentro el cuerpo humano.

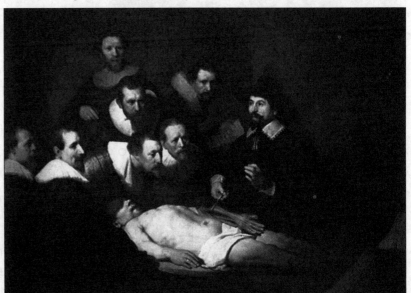

La lección de anatomía, *cuadro del pintor holandés Rembrandt.*

Los holandeses colonizan Indonesia.

Lope de Vega y el auge del teatro español.

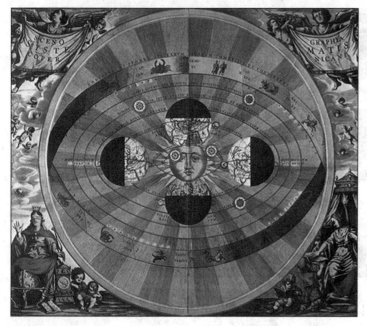

Copérnico elaboró este esquema de nuestro sistema planetario.
El Sol ya aparece en el centro y en torno a él giran los planetas.
Sin embargo, en ciertos aspectos Copérnico estaba equivocado,
pues creía que las estrellas estaban fijas en los límites del universo.
A principios del siglo XVI el astrónomo Kepler corrigió ese error.

Fue un astrónomo nacido en Polonia, llamado Nicolás Copérnico, quien afirmó a mediados del siglo XVI que la Tierra no es el centro del Universo, sino que gira en torno al Sol. Años más tarde Juan Kepler descubrió cómo se mueven los planetas y Galileo Galilei, utilizando un telescopio que él mismo construyó, observó la superficie de los planetas y encontró que varios de éstos, como Júpiter, tenían también satélites.

El conocimiento del cuerpo humano tuvo un gran avance gracias a los investigadores médicos, que se atrevieron a hacer disecciones en cadáveres, lo cual estaba prohibido por la Iglesia y era considerado un acto de brujería. De todos estos médicos, el más notable fue Andrés Vesalio, quien hizo cientos de disecciones y estudió cuidadosamente cada músculo, hueso y órgano del cuerpo humano. Él mismo dibujó las láminas de anatomía del libro que se imprimió en 1543, y que tal vez sea la más influyente obra de medicina que se ha escrito.

Las láminas dibujadas por Vesalio, como ésta que señala los músculos, sirvieron para que muchas generaciones de médicos aprendieran anatomía.

Muchos de los científicos de esta época, además de su talento y su imaginación, tuvieron una gran valentía personal. Arriesgaban su seguridad y su prestigio al sostener ideas contrarias a las admitidas por la Iglesia y por los especialistas. Tampoco tenían miedo a ser ridiculizados o considerados locos por las gentes de su tiempo.

ACTIVIDAD

Repasa el texto de *Las ciencias y el conocimiento* de la lección 4, página 46, y compara esa información con lo que se dice en esta lección. ¿Qué semejanzas y diferencias encuentras? ¿Es correcto afirmar que en el Renacimiento surgió una nueva ciencia? ¿Por qué?

Harvey explica la circulación de la sangre.

Esplendor de la pintura en España y Holanda.

La Reforma y las guerras de religión

Hasta principios del siglo XVI, la mayoría de los cristianos de Europa estaba unida bajo la autoridad del Papa y los funcionarios de la Iglesia católica. Sin embargo, en esos años miles de creyentes se separaron del catolicismo y formaron comunidades religiosas independientes. A ese movimiento de separación se le llama *Reforma protestante*.

En 1517 Martín Lutero clavó en la puerta de la catedral de Wittenberg, en Alemania, sus razones para separarse de la Iglesia católica.

Varias fueron las causas de la Reforma. La primera fue que, con la invención de la imprenta, muchos cristianos pudieron leer directamente la *Biblia* y otros escritos religiosos. La gente ya no dependía solamente de la enseñanza de los sacerdotes, sino que podía formar sus propias opiniones, que a veces eran distintas a las de las autoridades católicas.

Otra causa fue que muchos cristianos se sentían ofendidos porque en las cortes del Papa y de algunos obispos, se llevaba una vida llena de lujos que no correspondía a las estrictas enseñanzas de la religión.

La Reforma tuvo gran fuerza en el norte y occidente de Europa, en donde líderes religiosos como Martín Lutero y Juan Calvino organizaron comunidades protestantes. Las diferencias de ideas religiosas provocaron odios, persecuciones y guerras crueles y sangrientas. La Iglesia católica fortaleció a la *Inquisición*, una organización destinada a castigar a quienes tenían creencias diferentes a las oficialmente admitidas. Además, las autoridades de la Iglesia aumentaron la disciplina entre sus miembros y trataron de corregir las costumbres contrarias a las enseñanzas religiosas.

La violencia desatada por las diferencias religiosas disminuyó poco a poco, pero no desapareció. Todavía en nuestro tiempo es necesario defender la libertad de creencias de las personas y la tolerancia hacia las distintas posiciones religiosas.

La intolerancia religiosa fue causa de sangrientas persecuciones.

Pascal construye la primera calculadora.

Se usan los fusiles de chispa.

El conquistador, pintura sobre un biombo.

La conquista de América

Golfo de México

Océano Pacífico

En los años que siguieron a los viajes de Colón, centenares de españoles se establecieron en las grandes islas del mar Caribe: La Española, Cuba y Puerto Rico. Las tierras eran buenas, pero los conquistadores no estaban satisfechos: el oro era escaso y la población indígena –poco numerosa– pronto empezó a disminuir a consecuencia del maltrato y las enfermedades.

Los colonizadores no sabían con precisión en qué parte del mundo se encontraban. No habían tenido contacto con alguna civilización avanzada y creían que todas las nuevas tierras eran islas cercanas a las Indias. En algún lugar, pensaban, había un pasaje que los conduciría a los fantásticos reinos de Oriente.

Primeras rutas de exploración del actual territorio de México.
   Hernández de Córdoba
   Juan de Grijalva

Las tropas de Hernán Cortés ocupan la ciudad de Tlaxcala.

Juan Cabot descubre Terranova.

Pedro Álvarez Cabral descubre Brasil.

Desembarco de españoles en las costas americanas. Códice Florentino.

La idea que los europeos tenían de América sólo cambiaría con la conquista del imperio azteca. Fue a partir de entonces cuando se dieron cuenta de que realmente estaban en un mundo nuevo, mucho más extenso que Europa y en donde se habían desarrollado civilizaciones bien organizadas, totalmente distintas de las del viejo mundo.

Las primeras exploraciones de México

La historia de la conquista del actual territorio mexicano comenzó realmente en 1517, cuando el navegante Francisco Hernández de Córdoba exploró la costa de la península de Yucatán. Aunque los mayas pasaban por una etapa de decadencia, sus ciudades y su organización impresionaron vivamente al explorador. Gravemente herido en un combate con los indígenas, éste regresó a Cuba con las noticias de lo que había visto.

Empuñadura de la espada de Cortés.

El gobernador de Cuba, Diego Velázquez, pensó que podía beneficiarse con el descubrimiento hecho en Yucatán. Organizó una nueva expedición, bajo el mando de Juan de Grijalva y éste no sólo confirmó la información de Hernández de Córdoba, sino que cuando exploraba el actual territorio de Veracruz se enteró de que existía un rico imperio que dominaba la región y que era temido y odiado por otros pueblos indígenas.

Yelmo español.

ACTIVIDAD

Investiga cómo era la región que ahora es tu estado antes de la llegada de los conquistadores. ¿Cuándo llegaron? ¿Qué actividades eran las más importantes? ¿Cuáles fueron las primeras ciudades que fundaron?

Llegan a América los primeros esclavos negros.

Diego de Velázquez ocupa la isla de Cuba.

La expedición de Hernán Cortés

El gobernador Velázquez decidió enviar una flota más grande y bien armada. Reunió 11 naves y casi 700 hombres y dio el mando de la expedición a Hernán Cortés, quien había sido su socio en varios negocios: le ordenó explorar las costas y comerciar con sus habitantes. Cortés, sin embargo, tenía otras intenciones.

Al desembarcar en tierras de Veracruz y entrar en contacto con sus habitantes, Cortés y sus hombres se dieron cuenta de que efectivamente la riqueza del imperio era grande y de que los pueblos sometidos resentían la dominación azteca. Cortés decidió avanzar hacia el interior. Conforme a la ley española, formó el ayuntamiento de la Villa Rica de la Vera Cruz e hizo que sus autoridades lo nombraran jefe de la expedición. De esa forma, sólo debería obediencia al rey de España y no estaría sometido a la autoridad del gobernador Velázquez.

En su marcha hacia Tenochtitlan, Cortés siguió una táctica astuta: atemorizaba a los indígenas con su fuerza militar y su crueldad, y al mismo tiempo los invitaba a que fuesen sus aliados. Así fue como los tlaxcaltecas, enemigos irreconciliables de los mexicas, decidieron apoyar a Cortés, cuando al principio habían luchado en su contra.

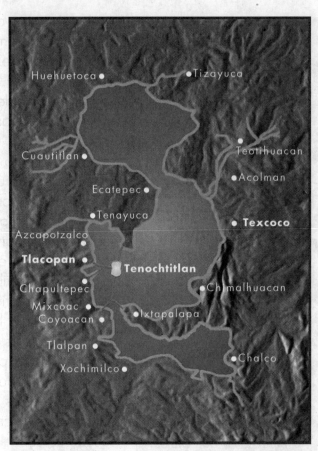

Este mapa señala los antiguos señoríos de los lagos del Valle de México. Actualmente la Ciudad de México ocupa casi todo este territorio.

Retrato de Moctezuma hecho por un artista europeo.

Al llegar al Valle de México, los españoles fueron bien recibidos por el *tlatoani* Moctezuma, quien los alojó en el palacio de Axayácatl, cercano al recinto sagrado. Moctezuma era un guerrero experimentado, pero ahora estaba dominado por la indecisión y el temor. Hombre supersticioso, pensaba que tal vez los extraños visitantes eran dioses, como lo anunciaba una antigua profecía. Decidió obedecer a Cortés y entregarle valiosos tributos, con la esperanza de que los españoles regresaran por donde habían venido.

Juan Ponce de León explora Florida.

Fundación de Santiago de Cuba.

Las novelas de caballería influyeron en la imaginación de los soldados españoles del siglo XVI. Amadís de Gaula, *cuya portada ves aquí, fue una de las más populares. En* Don Quijote de la Mancha, *una de las más bellas novelas escritas, el personaje central enloquece por tanto leer novelas de caballería.*

La presencia de los extranjeros ofendía al pueblo de Tenochtitlan, pero era tanto el respeto que sentían por la figura del *tlatoani*, que nadie se atrevía a contradecirlo. Esa calma terminó de manera violenta. Cortés salió de Tenochtitlan obligado a marchar con parte de su ejército hacia la costa del Golfo, para combatir a las tropas que el gobernador de Cuba había enviado para arrestarlo. Cortés dejó una guarnición en Tenochtitlan al mando de Pedro de Alvarado, gente de toda su confianza.

Alvarado era un soldado impulsivo y cruel. Temía un ataque de los aztecas y aprovechó que en una gran ceremonia religiosa estaba reunida la nobleza azteca, sus jefes militares y sus sacerdotes. Estaban desarmados y danzaban cuando Alvarado lanzó contra ellos a sus tropas y a las de sus aliados. La matanza fue terrible. Cientos de mexicas murieron ese día. Eran los dirigentes que se habían educado en el *calmécac*, los veteranos de las guerras, los intérpretes de los códices.

La matanza provocó una enorme indignación. Los aztecas se lanzaron contra el palacio de Axayácatl, donde los españoles se atrincheraron, llevando con ellos a Moctezuma y a otros jefes aztecas. El palacio quedó cercado, casi sin agua, ni alimentos.

Armas mexicas.

▶ *La matanza del Templo Mayor, como aparece en el* Códice Durán.

La noche triste

Mientras tanto, Cortés había vencido a sus adversarios y regresó a Tenochtitlan unos días después. Logró reunirse con sus compañeros sitiados, pero la situación era desesperada. Cortés obligó a Moctezuma a que subiera al techo del palacio y ordenara a sus súbditos que se retirasen. Pero el pueblo ya no escuchó al *tlatoani:* cuando intentó hablar recibió una lluvia de piedras y resultó herido. Moctezuma murió unos días después, no se sabe si a consecuencia de sus lesiones o asesinado por los españoles, a quienes ya no era útil.

Perro de guerra atacando a un indígena.

El nuevo jefe de los mexicas era Cuitláhuac, un guerrero valeroso que siempre se había opuesto a los españoles. Bajo su mando, la combatividad de los aztecas adquirió mayor fuerza.

Los españoles decidieron escapar. Aprovecharon una noche, porque los aztecas acostumbraban suspender la lucha después de la puesta del sol. Sigilosamente marcharon por la calzada de Tacu-

Ataque de las tropas mexicas.

ba, una de las salidas de Tenochtitlan que cruzaban el lago hacia tierra firme. A la mitad del camino fueron descubiertos. Miles de guerreros aztecas, transportados en canoas, atacaron con furia a los españoles atrapados en la calzada.

Tras una larga batalla, Cortés y parte de sus tropas lograron llegar a tierra firme en las horas de la madrugada, pero habían sufrido una tremenda derrota. Habían sido muertos o capturados la mitad de sus hombres. Casi no quedaban caballos y habían perdido gran parte del oro entregado por Moctezuma.

Fundación de Panamá.

Cortés conquista el imperio azteca.

Conquista de Guatemala y El Salvador.

Enfermos de viruela representados en el Códice Florentino.

El contraataque español

Con sus maltrechas tropas, Cortés se refugió en el territorio de sus aliados tlaxcaltecas. Ahí se repuso y recibió el refuerzo de hombres y armas desembarcados en el Golfo. Mientras tanto, en Tenochtitlan se había desatado una incontenible epidemia de viruela. Decenas de miles murieron, entre ellos el *tlatoani* Cuitláhuac. Los nobles mexicas escogieron como nuevo líder a Cuauhtémoc, quien tenía entonces unos 25 años.

Seis meses después de su derrota, los españoles decidieron atacar de nuevo Tenochtitlan. Esta vez actuaron metódicamente: establecieron su base de guerra en Texcoco, principal aliado de los mexicas, y sometieron uno a uno a los señoríos del Valle. Para evitar el movimiento de las canoas aztecas, construyeron una docena de pequeños barcos, armados con cañones. La capital de los mexicas quedó aislada y los alimentos empezaron a escasear en ella.

Las tropas españolas y decenas de miles de aliados indígenas iniciaron el asalto de Tenochtitlan a principios de junio de 1521. Atacaron por las tres calzadas que unían a la ciudad con el Valle, pero la resistencia mexica fue heroica. El sitio se prolongó por semanas; se luchaba casa por casa, canal por canal. El alimento y el agua potable se acabaron en la ciudad, pero los defensores seguían resistiendo, recuperando por la noche el terreno que los conquistadores ganaban difícilmente durante el día.

Suplicio de Cuauhtémoc, pintura mexicana del siglo XIX.

Al empezar agosto la defensa de la ciudad ya era imposible. Se decidió que Cuauhtémoc y otros jefes aztecas intentaran escapar por el lago, para continuar la lucha en otro lado. Sin embargo, fueron detenidos por uno de los navíos españoles y hechos prisioneros. En los días siguientes, lo que quedaba de la ciudad fue capturado por las fuerzas de Cortés y la resistencia indígena cesó.

Cuauhtémoc y sus compañeros fueron torturados por sus captores, quienes querían recuperar el tesoro perdido en la retirada de la Noche Triste. El último *tlatoani* permaneció preso cuatro años. Fue asesinado por los conquistadores durante la expedición de Cortés hacia Centroamérica en 1525.

Establecimiento del Consejo de Indias.

Francisco Pizarro y Diego de Almagro exploran el territorio ecuatoriano.

La conquista de la región andina

A principios del siglo XVI pequeños grupos de españoles exploraron el Istmo de Panamá. Como sabes, Vasco Núñez de Balboa, uno de sus jefes, fue el primero en tocar las aguas del Mar del Sur, es decir, del océano Pacífico.

En esa región se fundó una pequeña colonia llamada Darién. No era próspera y el clima tropical era difícil de soportar, pero fue ahí donde a través de comerciantes indígenas, los españoles se enteraron de que hacia el sur, cerca de la costa, había un reino inmensamente rico, en el que hasta los objetos de uso común eran de oro.

Esas noticias despertaron la ambición de muchos españoles, que soñaban con igualar las conquistas de Cortés. De todos esos soldados, el más tenaz fue Francisco Pizarro, quien en 1525 y 1527 organizó dos pequeñas expediciones hacia el reino de Birú, como llamaban entonces a Perú.

Esos viajes no dejaron beneficios materiales, pero Pizarro confirmó la riqueza del imperio inca y logró obtener el apoyo del emperador Carlos V para continuar con sus planes. Preparó una expedición mayor, con unos 200 soldados españoles y en 1532 entró en el territorio de los incas.

Esta estatua de Francisco Pizarro, construida en Trujillo, la ciudad natal del conquistador, nos da una idea de la impresión que los jinetes españoles producían en los guerreros indígenas.

Las epidemias en el siglo XVI

Las epidemias fueron uno de los más terribles azotes sufridos por la población indígena en el siglo XVI. Ciertas enfermedades comparativamente leves y que eran comunes entre los europeos, como la viruela o los trastornos gripales, provocaban daños enormes a la salud de los nativos de América, pues sus defensas orgánicas eran inútiles ante virus desconocidos en nuestro continente.

La primera gran epidemia fue de viruela. Empezó en el Caribe en 1519 y desde septiembre de 1520 afectó a la población del Valle de México, en especial a los defensores de Tenochtitlan.

Durante el resto del siglo, por lo menos otras cuatro epidemias se extendieron en Nueva España.

No es fácil calcular el daño producido por esas enfermedades, pero es probable que cerca de la mitad de la población indígena muriera como consecuencia de las epidemias en sólo 50 años.

Una gran desmoralización afectó a la población sobreviviente, no sólo por la muerte de familiares, vecinos y amigos, sino también porque no podían explicar lo que estaba sucediendo. Los mayas, por ejemplo, inventaron el mito de que las deidades del mal llevaban por la noche el contagio de casa en casa. Además, ya que los españoles no enfermaban, parecía evidente que las epidemias eran un castigo que los dioses enviaban a los indígenas.

Juan Cabot explora los ríos Paraná y Paraguay.

Fray Bernardino de Sahagún llega con una misión franciscana a la Nueva España.

*Los indígenas apreciaban
los objetos finamente
trabajados en oro.
Por eso no entendían
por qué los conquistadores los
fundían para convertirlos
en toscas monedas.*

Las tropas de Pizarro encontraron un imperio debilitado por la lucha entre dos hermanos, Atahualpa y Huascar, quienes pretendían ocupar el trono del Inca. El primero de ellos había vencido y ocupaba con su ejército la parte norte del imperio. Al igual que en México, los españoles habían encontrado aliados entre los indígenas. Los incas estaban divididos, pero además otros pueblos querían liberarse de su dominación.

Alentado por esos apoyos, Pizarro envió emisarios a Atahualpa, pidiéndole que se reuniera con él. Le dijo que sus intenciones eran pacíficas. Atahualpa accedió. Se sentía seguro con un ejército de miles de guerreros que le miraban como a un dios. Avisó a Pizarro que se reunirían en Cajamarca, población de las montañas andinas.

El Inca llegó al sitio de la reunión rodeado de la nobleza indígena, ostentando su riqueza, pero indefenso. Pizarro tenía su plan preparado: atacó a la comitiva de Atahualpa y de inmediato lo capturó. En el combate que siguió murieron centenares de jefes incas y el ejército del imperio, sin tener quién lo mandara, se dispersó en desorden.

Pizarro aprovechó la situación. Marchó hacia Cuzco, la capital inca y la tomó en 1533. Antes había asesinado a Atahualpa, después de que éste le había pagado un inmenso rescate para conservar su vida. Los españoles fundaron después una nueva ciudad, Lima, para gobernar desde ahí los territorios conquistados.

*Emperador inca, pintura
peruana del siglo XVI.*

El poderío de los incas se había derrumbado, pero pasaron casi 50 años para que se estabilizara la dominación española. Hubo varias rebeliones indígenas, que pretendían recuperar la antigua independencia; pero además, entre los jefes españoles se desataron la envidia y la violencia. Pizarro, varios de sus hermanos y otros jefes españoles fueron asesinados por sus propios compañeros.

Pizarro conquista
el imperio inca.

Se introduce la
caña de azúcar
en Brasil.

De la conquista a la Colonia

En los años que siguieron inmediatamente a las conquistas, el mando de las nuevas posesiones españolas estuvo realmente en manos de los jefes militares, como Cortés y Pizarro. Sin embargo, el gobierno del rey de España necesitaba administradores ordenados, que cumplieran fielmente las órdenes de sus superiores. Además era necesario organizar la explotación metódica de los recursos naturales y de la fuerza de trabajo de las tierras conquistadas.

Para cumplir esos propósitos, fueron creados organismos de gobierno, leyes y cargos de funcionarios dependientes del rey de España, que permanecerían cerca de 300 años. Ese es el tema que estudiarás en las próximas dos lecciones.

Escudo de armas concedido por Carlos V a los descendientes de los emperadores incas.

Las razones de la derrota indígena

Cuando estudiamos la historia de la conquista de los grandes imperios americanos, hay preguntas que quedan dando vuelta en nuestra cabeza. ¿Cómo explicar que los pequeños ejércitos de los españoles vencieron a gobiernos bien organizados y defendidos por decenas de miles de guerreros valerosos? ¿Por qué la derrota indígena fue tan rápida?

Esas mismas preguntas han inquietado por mucho tiempo a los historiadores. La respuesta que han dado no es una sola, sino que señalan varias causas de la catástrofe militar indígena.

La razón más importante es que los indígenas conquistados no se sentían parte de una unidad política y cultural común a todos. Había tradiciones, lenguas y costumbres distintas. Además, existía una larga historia de guerras de unos contra otros, que habían producido odios y rencores. Los mexicas y los incas, que dominaban y explotaban a los demás pueblos, eran los más aborrecidos.

Fue por eso que muchas comunidades indias vieron

Cañón del siglo XVI.

en los españoles unos aliados convenientes para luchar contra sus viejos enemigos. Los jefes de los conquistadores, como Cortés y Pizarro, se dieron cuenta de esa situación rápidamente y aprovecharon las enemistades que existían entre los pueblos indígenas. En las batallas libradas contra los mexicas y los incas, los españoles contaron con miles de aliados indios, decididos a liquidar a sus opresores. No podían imaginarse entonces que tendrían la misma suerte que los vencidos.

Una segunda razón fue la superioridad de las armas y la organización militar de los españoles. Las armas de fuego y las espadas de acero de los europeos causaban más daño que el armamento indígena, pero su mayor efecto era el terror que producía lo desconocido: el ruido y el humo de los arcabuces y la apariencia monstruosa de los perros de guerra y los caballos cubiertos de hierro.

Había además una idea distinta del combate: para los españoles, la finalidad era incapacitar a los enemigos y destruir sus grupos de mando; para un guerrero indígena nada proporcionaba mayor gloria que capturar vivo al adversario para llevarlo al sacrificio.

Fundación de Quito.

Jacques Cartier explora el río San Lorenzo.

Diego de Almagro explora Bolivia y el norte de Chile.

1534   **1534-1541**   **1535-1537**

Las armas de fuego

Las armas de fuego se perfeccionaron a finales del siglo XV. Antes eran tan peligrosas para quien las usaba como para sus enemigos, pues frecuentemente estallaban en manos del tirador. Las armas de fuego han cambiado mucho con el tiempo, pero el principio científico con que funcionan es el mismo. La pólvora es una mezcla explosiva que al quemarse produce gases que se expanden rápidamente. Cuando la pólvora estalla al aire libre, como en los cohetes, el efecto es menor. En las armas de fuego, como el antiguo arcabuz o los modernos fusiles, la pólvora está encerrada en un pequeño espacio o en un cartucho. Así, cuando se provoca el estallido de la pólvora, la única salida que tienen los gases es el cañón, que se encuentra obstruido por un proyectil. Los gases impulsan al proyectil, que adquiere enorme velocidad y golpea con fuerza su objetivo.

A   C   T   I

La ocupación del territorio de América

Las conquistas de México y Perú fueron los mayores logros de la expansión de los europeos en América, durante el siglo XVI y los primeros años del XVII. Pero además muchas otras regiones fueron exploradas y colonizadas. En todas ellas se formarían las futuras naciones americanas.

Enseguida encontrarás una pequeña descripción de las principales conquistas y exploraciones de esa época. Observa el mapa de la página de enfrente, para que ubiques a cada una de ellas. Busca en las líneas del tiempo, de esta y la siguiente lección, las fechas que correspondan.

1. Buscando la mítica "fuente de la juventud", Juan Ponce de León explora Florida.
2. Partiendo de Nueva España, los españoles conquistan las actuales Guatemala, Salvador y Honduras.
3. Juan Díaz de Solís explora el Río de La Plata. Veinte años después se funda una villa cerca del actual Buenos Aires.
4. Partiendo de Perú, Diego de Almagro explora Bolivia y el norte de Chile.
5. Jacques Cartier explora el río San Lorenzo.
6. Llevados por el mito de la tierra de El Dorado, expediciones españolas exploran la actual Colombia y fundan Bogotá.
7. Hernando de Soto explora el río Mississippi.
8. Desde las selvas de Perú, Francisco de Orellana recorre el río Amazonas hasta el mar.
9. Buscando las Siete Ciudades de Oro, que por supuesto no existían, Francisco Vázquez de Coronado explora las tierras al noroeste de la Nueva España.
10. Pedro de Valdivia explora Chile y funda Santiago.
11. La colonia portuguesa de Brasil es organizada 50 años después de haber sido descubierta.
12. Walter Raleigh funda la primera colonia inglesa en Virginia.
13. Samuel Champlain explora el este del Canadá y funda Quebec.
14. Emigrantes protestantes fundan la primera colonia en Nueva Inglaterra.

Don Antonio de Mendoza, primer virrey de Nueva España.

Se funda la primera Casa de Moneda en México.

Pedro de Mendoza
funda el primer
establecimiento
en Buenos Aires.

Exploración
de Colombia.
Se funda Bogotá.

Mercado virreinal.

La colonización y la Nueva España

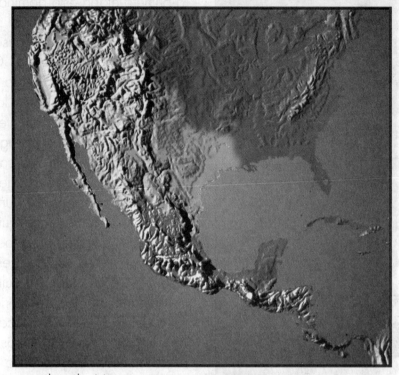

El nacimiento de las colonias en América

A partir del siglo XVI, las conquistas de los europeos –españoles, portugueses, ingleses y franceses– provocaron el derrumbe político y militar de las civilizaciones indígenas de América. Algunas de ellas, como la de las Antillas, desaparecieron totalmente. Otras más fuertes, como las de Mesoamérica y la región andina, sobrevivieron y lograron conservar muchos rasgos de su cultura, a pesar de la dominación a que fueron sometidas.

La conquista y la posterior colonización provocaron una gran destrucción material y humana. Sin embargo, también representan el origen de las modernas naciones de América, porque fue en esos siglos cuando se ocupó el territorio, se crearon las bases de una nueva cultura y se formó una población en la que se combinaron las influencias europeas, indígenas y africanas. De ahí surgieron, al paso del tiempo, los países independientes que hoy existen en nuestro continente.

La colonización de América no se desarrolló en una sola época, ni tuvo las mismas características en todas partes. Conviene que distingas dos grandes etapas.

 Territorio colonizado hasta 1580

 Máxima extensión del virreinato

Iglesia en Mitla, construida encima de un centro ceremonial.

Imprenta en México, primera de América.

La colonización española y portuguesa

La primera etapa está dominada por los españoles y los portugueses y se inicia en el siglo XVI. Los primeros se establecieron a lo largo de casi tres siglos en un vasto territorio, que va desde la alta California y Florida, en el actual Estados Unidos, hasta el extremo sur de América. Los segundos ocuparon las costas de Brasil y empezaron la penetración al interior de esa región.

Los españoles y los portugueses impusieron en las nuevas tierras la religión católica, el idioma y las leyes de sus países de origen. Los territorios colonizados eran considerados un dominio de los reyes de España y de Portugal, quienes designaban a las autoridades que debían gobernar las colonias.

Muy pronto se inició en esas tierras un lento proceso de cambio racial y cultural. Los europeos, los pueblos indios y los africanos traídos a América se fueron mezclando, hasta que a finales del siglo XVIII los descendientes de esas uniones –los mestizos– ya eran tan numerosos o más que los indígenas en Iberoamérica.

También cambiaron poco a poco las formas de vida y las costumbres. La mezcla de influencias culturales produjo algo nuevo, que ya tenía rasgos propios. Aun quienes descendían de europeos, pero habían nacido y crecido en estas tierras, se sentían más americanos –como se llamaba entonces a los habitantes del continente– que españoles o portugueses.

De América:
maíz, frijol, papa, cacao, cacahuate, tomate, calabaza, tabaco, piña, aguacate, maguey.

De Europa, Asia y África:
trigo, cebada, arroz, caña de azúcar, alfalfa, plátano, vid, café, naranja, limón, mango.

Hernando de Soto explora el río Mississippi.

Francisco de Orellana recorre el río Amazonas hasta su desembocadura.

La colonización inglesa y francesa

La segunda etapa se inicia en el siglo XVII, unos 100 años después de la primera. Es entonces cuando emigrantes de Inglaterra, Francia y en menor medida de Holanda establecen colonias en el Caribe, en la costa atlántica de América del Norte y en las regiones cercanas a los Grandes Lagos, en lo que hoy son Canadá y Estados Unidos. Estos colonizadores tenían varios propósitos distintos: unos querían enriquecerse con el cultivo de plantas como el algodón y el tabaco, otros comerciar con las valiosas pieles de los animales de esa región y otros más vivir en paz y practicar libremente creencias religiosas que eran perseguidas en Europa.

Emigrantes europeos a su arribo a las costas de América del Norte.

Planta de algodón, fuente de riqueza para los colonizadores.

En esas regiones no existían civilizaciones indígenas avanzadas, ni zonas densamente pobladas. Los pueblos indios practicaban ahí la agricultura de aldea y la cacería intensa. Los colonizadores europeos casi no se mezclaron con estos pueblos, sino que los fueron expulsando de los territorios que ocupaban. Los nuevos pobladores conservaron los rasgos culturales de sus regiones de origen, pero también sentían que debían respetarse sus derechos y sus libertades.

En esta lección y en la que sigue podrás aprender algo de estas dos etapas de la colonización de América. Primero estudiarás la Nueva España, después el resto del imperio colonial español, el imperio portugués y las colonias inglesas y francesas de Norteamérica.

Los indios conocían la técnica de la fortificación. Sin embargo, poco pudieron hacer ante las armas de fuego.

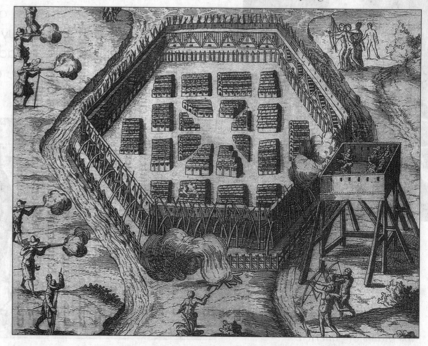

Francisco Vázquez de Coronado explora el noroeste de Nueva España.

Pedro de Valdivia funda Santiago de Chile

El escudo de la ciudad de México reunió elementos de dos culturas.

La moda europea representada por el virrey duque de Linares.
▶ *Las "nuevas leyes" eliminaron los privilegios de los encomenderos y protegieron a los indios de América.*

El Virreinato de la Nueva España

A la caída de Tenochtitlan, los antiguos dominios mexicas quedaron bajo el mando de Hernán Cortés, a quien el emperador Carlos V nombró Capitán General. Sin embargo, la ilimitada ambición de éste y los abusos cometidos por sus colaboradores, convencieron al monarca de que era necesario establecer un gobierno más disciplinado en los dominios a los que se llamó Nueva España. Primero designó un equipo de cinco hombres, denominado Audiencia, que sólo provocó más problemas. Finalmente decidió nombrar a un representante directo de la monarquía, que gobernaría con el título de Virrey.

El Virreinato duró casi 300 años. En ese lapso hubo 63 virreyes, quienes encabezaban un grupo muy numeroso de funcionarios encargados de cobrar impuestos, mantener el orden y proteger el territorio y su explotación económica.

El palacio virreinal fue la sede del gobierno de Nueva España.

Minas de plata en Potosí, hoy Bolivia.

El territorio

En un principio, la población española se concentró en el centro de México, pero muy pronto se extendió por los actuales estados de Michoacán y Jalisco y siguió hacia el norte por la costa del Pacífico. Los españoles ocuparon la región zapoteca y mixteca y siguió después la difícil conquista de la península de Yucatán y el sureste montañoso, venciendo la decidida defensa de los pueblos mayas.

A mediados del siglo XVI los españoles encontraron ricas vetas de plata en Zacatecas y Durango, lo que estimuló la exploración y la conquista del norte de México y más allá del río Bravo, muy adentro del actual territorio de Estados Unidos. La resistencia de las tribus nómadas de esa enorme región dificultó la colonización estable. Por eso, las fronteras del norte de Nueva España fueron imprecisas por mucho tiempo, hasta que fueron fijadas en 1786 tal como aparecen en el mapa con el que se inicia esta lección. La colonia tenía entonces una extensión de 4 millones de kilómetros cuadrados, el doble de la actual superficie de México.

Los expedicionarios se enfrentaron a la resistencia de las tribus del norte.

Palacio de Cortés en Cuernavaca, ejemplo de las primeras construcciones fortificadas.

Las cosas desconocidas encontradas en América fascinaban a los europeos.

En el texto que sigue notarás las grandes dificultades que su autor, en el siglo XVII, tenía para describir una simple piña. Prueba si puedes hacerlo mejor que él.

"Las piñas son una fruta la más celebrada que hay en todas las Indias, así de los mismos indios como de los españoles; llámanse piñas por la semejanza que tiene este fruto con nuestras piñas que, aunque liso, tienen unas señales por todo él como de piña".

Fundación de La Paz, Bolivia.

Minas de plata en Zacatecas.

La conquista espiritual y la religión

En el siglo XVII se popularizó el culto a la Virgen de Guadalupe. Los indios y los mestizos se identificaron con ella.

La conversión de los indígenas a la religión católica y la eliminación de las antiguas creencias de los pueblos mesoamericanos era un propósito al que los españoles daban tanta importancia como a la dominación militar. Por eso se dice que, junto con las acciones guerreras, hubo en Nueva España una conquista espiritual.

Inmediatamente después de la derrota azteca, llegaron a Nueva España los primeros grupos de sacerdotes católicos. Pertenecían a órdenes religiosas de misioneros, es decir, a grupos que tenían organización y disciplina propias, cuya tarea era extender la religión entre aquellos considerados infieles o idólatras. Las órdenes que llegaron primero a la colonia fueron los franciscanos, los dominicos y los agustinos.

Como recordarás, en España había terminado hacía poco tiempo la guerra de cristianos contra los musulmanes y perduraba una actitud religiosa muy intensa y combativa. Ese fervor se reflejó en el trabajo de los misioneros.

Entre los misioneros había ideas distintas sobre la forma de convertir a los indígenas. Unos pensaban simplemente en destruir los templos, prohibir los antiguos rituales y castigar a quienes insistieran en practicarlos. Otros creían que era necesario convencer a los indígenas mediante la prédica y el ejemplo; para lograrlo deberían conocer la lengua y las costumbres de cada pueblo y tratar humanamente a las personas.

Elementos de arte indígena en una imagen católica.

Estas diferencias provocaron conflictos dentro de la Iglesia y frecuentes enfrentamientos entre los defensores de los indígenas, por un lado, y los colonizadores y el gobierno español por el otro.

Gran parte del conocimiento que tenemos sobre las culturas indígenas de la época de la conquista se lo debemos a los misioneros. Aprendieron las lenguas, escribieron diccionarios y recogieron información valiosa sobre el saber y las for-

Representación de un bautismo colectivo.

Abolición de la esclavitud indígena en Nueva España.

mas de vida prehispánicas. Muchos misioneros se ganaron el aprecio de los indígenas, porque según dice un escrito de la época "andan pobres y descalzos como nosotros, comen lo que nosotros, asiéntanse entre nosotros, conversan entre nosotros mansamente".

Numerosos grupos indígenas se resistieron a abandonar sus creencias, pero al paso del tiempo el catolicismo se arraigó en la población india y mestiza. A los rituales religiosos se incorporaron formas de celebración y de culto, que tienen su origen en tradiciones muy antiguas y que dieron al catolicismo popular una personalidad propia.

En 1571, mientras en Europa se desarrollaban las guerras de religión, se extendió a Nueva España la actividad del Santo Oficio de la Inquisición. Esta organización tenía como fin investigar y castigar, con métodos muy crueles, a todos aquellos que no eran fieles católicos. Aunque en la colonia la acción de la Inquisición fue menos violenta que en España, provocó abusos y temores hasta que fue suprimida.

Iglesia en el estado de Querétaro.

Diccionario de lenguas indígenas.

La Iglesia fue un elemento central en la vida de la Colonia. La educación dependía de ella, así como hospitales y hospicios. Los impresionantes templos y conventos que fueron edificados en todas las poblaciones novohispanas son muestra del poder y difusión alcanzados por la religión. También en las actividades económicas tenía la Iglesia un papel importante. El diezmo, impuesto recibido por las autoridades religiosas, así como las donaciones hechas por la monarquía y por los creyentes, dieron a la Iglesia grandes capitales, que otorgaba en préstamo a los individuos y aun al gobierno. Asimismo, acumuló numerosas propiedades en las ciudades y en el campo, que como no se podían vender, crearon un acaparamiento poco productivo, lo que provocaría serios problemas durante el siglo XIX.

Condenado a la hoguera por la Inquisición en Nueva España.

Se abren las universidades de México y Lima.

Los africanos en América

Los africanos de raza negra fueron uno de los grandes componentes de la población de América. Los europeos los hacían esclavos en las regiones ecuatoriales de África, secuestrándolos o comprándolos a las tribus que obtenían cautivos de guerras.

Los traficantes de esclavos –primero portugueses y después ingleses, franceses y holandeses– los vendían a los colonos de América. Eran empleados en los trabajos más duros de las plantaciones tropicales de caña de azúcar, en las regiones donde la población indígena era escasa o había sido exterminada. Más tarde, cuando se extendieron las plantaciones de algodón, tabaco y café, fueron →

La población

Es muy difícil calcular la población de una época lejana, pues los registros son muy deficientes. Sin embargo, se sabe que entre 1521 y 1650 la población indígena disminuyó extraordinariamente, como consecuencia de la guerra y el trastorno de sus formas de vida, de las epidemias y de la explotación a que fue sometida, particularmente en las minas. Fue una de las más grandes catástrofes humanas que registra la historia, aunque los investigadores no se ponen de acuerdo sobre sus dimensiones: algunos estiman que a mediados del siglo XVII quedaban unos cuantos cientos de miles de indígenas, mientras otros calculan unos dos millones de sobrevivientes.

Mientras tanto la población de origen español se multiplicó, primero lentamente y con rapidez después de 1550. Nueva España recibió también decenas de miles de esclavos africanos, traídos para resolver la falta de trabajadores indígenas.

Las distintas clases sociales representadas alrededor de la figura del virrey.

La población creció durante el resto de la época colonial, con etapas de estancamiento y otras de rápido avance. La emigración continuó, la población indígena empezó a recuperarse y, sobre todo, creció el número de mestizos, con alguna mezcla de sangre indígena, europea o africana. Según algunos cálculos, había en Nueva España unos 6 millones de habitantes en 1810, al empezar la guerra de Independencia. De ellos un millón era de origen español, aunque sólo unos 60 mil habían nacido en España, los demás eran criollos, 3.5 millones eran indígenas y 1.5 eran mestizos. Los esclavos negros se habían reducido a unos cuantos miles.

Los ingleses comercian con esclavos en América.

La agricultura y la ganadería

Aunque la minería era la fuente más buscada de riqueza, la mayoría de los habitantes de Nueva España se dedicaba a la agricultura y la

ganadería. De ellas se obtenían alimentos para la población y productos para comerciar con Europa y Oriente.

Había grandes diferencias entre la agricultura practicada por los españoles y la de las comunidades indígenas. Los españoles explotaban grandes extensiones, las haciendas, compradas o recibidas como donación del monarca. Al principio de la Colonia los grandes propietarios hacían trabajar sus tierras a grupos de indígenas recibidos en encomienda, a quienes supuestamente debían proteger y educar cristianamente, a cambio de tributos y trabajo gratuito. Cuando a mediados

Con el cacao de América, el chocolate se convirtió en una de las bebidas más populares del mundo.

del siglo XVI se suprimió la encomienda y se prohibió la esclavitud de indios, los propietarios obtenían trabajadores por salarios muy bajos.

En las zonas templadas, los españoles sembraban preferentemente trigo, a veces con maíz en surcos intercalados. Las regiones cálidas vieron surgir plantaciones de caña e ingenios azucareros y en menor medida plantíos de cacao.

Esclavos moliendo caña.

empleados también en actividades agrícolas.

Por el tipo de terreno en el que se establecieron las plantaciones de América, la población de origen africano es más numerosa en las costas tropicales de México, en las islas del mar Caribe y en las planicies costeras de Colombia, Venezuela y Brasil. También a las colonias norteamericanas como Virginia y las Carolinas fueron llevados cientos de miles de esclavos.

Los esclavos recibían un terrible trato. Eran separados violentamente de su familia y su pueblo y sometidos a la dureza del viaje a través del Atlántico. Sus jornadas de trabajo eran agotadoras y, como no tenían derecho alguno, quedaban sometidos a la voluntad de sus dueños. Fue por eso que las rebeliones y las fugas de esclavos eran frecuentes.

Los españoles
conquistan Filipinas.

Fundación
de Caracas.

Hombres a caballo

La ganadería de América tiene su origen en la forma de criar el ganado en España. En otras partes de Europa los animales se criaban en granjas o áreas pequeñas, pero los españoles dejaban que vacas, caballos y ovejas pastaran en grandes extensiones, al cuidado de jinetes. Las extensiones de América favorecieron esa ganadería. Rebaños y manadas se multiplicaron en el centro y norte de México, en los llanos de Venezuela, Argentina, Uruguay y sur de Brasil. Muchos animales escapaban y formaban rebaños salvajes; así se originó la ganadería en el oeste de Estados Unidos.

Los criadores de ganado lograron gran maestría en el uso del caballo y en el manejo de los rebaños. Los vaqueros y charros de México, y los gauchos y llaneros de Sudamérica han sido grandes jinetes. Claro rasgo de su cultura es el cariño y admiración por el caballo, al que se considera un amigo y un compañero de trabajo.

La ganadería en gran escala también fue practicada por los españoles. Las planicies del Bajío y del norte fueron dedicadas a la crianza de reses, caballos, mulas y ovejas. Los hatos sumaban decenas de miles de cabezas, con tal abundancia que a veces se sacrificaba al ganado simplemente para aprovechar la piel.

Los indígenas fueron expulsados de las mejores tierras y tenían constantes problemas para conservar sus propiedades, lo que provocó rebeliones en distintos momentos de la época colonial.

Sin embargo, subsistieron centenares de comunidades campesinas, dedicadas sobre todo a los cultivos tradicionales de maíz, frijol y chile. De acuerdo con la antigua costumbre indígena, la tierra era propiedad de la colectividad, pero cada familia era responsable por su trabajo y dueña de sus productos.

La mayor parte de la agricultura en Nueva España era de temporal. A años de buenas cosechas seguían con alguna frecuencia temporadas de sequías, causantes de escasez y hambrunas en las ciudades y el campo.

Observa que dos de los rasgos de la agricultura mexicana de los siglos XIX y XX se originaron en la Colonia: la concentración de tierras en pocas manos y la propiedad comunal de superficies pequeñas.

Se establece la Inquisición en Nueva España.

1571

Francis Drake da la vuelta al mundo.

La minería

Contra lo que deseaban, los españoles no encontraron en Nueva España oro en grandes cantidades. En cambio, a partir de 1548 se descubrieron ricas vetas de plata en varios puntos del territorio. El metal produjo grandes riquezas y fue la principal fuente de ingresos para la monarquía de España.

Pieza hecha en Filipinas con hilos de plata novohispana.

Muchas ciudades se fundaron en las cercanías de las minas más ricas. Algunas siguen siendo poblaciones importantes, como Zacatecas, Guanajuato y Durango. Otras, al agotarse la plata, se convirtieron en pueblos fantasmas, llenos de elegantes edificios abandonados.

Las minas consumieron las vidas de miles de trabajadores. En ellas el esfuerzo era agobiante, los accidentes frecuentes y las enfermedades se presentaban tras unos cuantos años de labor. Para mantener las minas en actividad sus dueños compraban esclavos, conseguían indios cautivos o se veían forzados a pagar salarios relativamente altos.

Antigua máquina de desagüe continuo, utilizada en las minas.

▶ *Doblón de plata acuñado en la Casa de Moneda de México.*

La extracción de plata produjo las fortunas más grandes de Nueva España. Los mineros exitosos eran dueños de haciendas y palacios, compraban títulos de nobleza y exhibían su riqueza en toda ocasión. Pero el minero con suerte era uno entre miles. Los que fracasaban realizaban cualquier trabajo, o vagaban en busca de una nueva oportunidad. Algunos, que se habían enriquecido, lo perdían todo cuando la veta se agotaba y no podían pagar sus deudas. Decía la gente que el destino de los buscadores de plata era pasar de mineros a millonarios y después a pordioseros.

Corte de una mina que muestra la explotación en las galerías subterráneas.

Walter Raleigh funda una colonia inglesa en Virginia.

El comercio y la industria

Piratas y corsarios

Muchas veces las riquezas enviadas desde las colonias españolas no llegaban a su destino porque los piratas se apoderaban de los barcos que las transportaban. Algunos piratas actuaban por cuenta propia. Otros, a los que se llama corsarios, estaban autorizados por algún gobierno europeo para atacar las posesiones de países enemigos. Varios fueron tan famosos como Francis Drake, quien fue armado caballero por la Reina de Inglaterra.

En los puertos de las colonias la gente vivía atemorizada, porque los piratas no sólo asaltaban las naves, sino que también saqueaban las poblaciones cada vez que podían. Por eso los puertos tenían murallas y fortificaciones, como Campeche en México y Cartagena en Colombia.

Las actividades comerciales importantes, en especial las que se realizaban con el exterior, estaban controladas por negociantes españoles y eran vigiladas por los funcionarios de la monarquía. La Colonia vendía principalmente plata, azúcar, cacao, pieles de ganado y maderas finas. En cambio compraba vinos, herramientas, telas finas y aceite de oliva.

La principal vía comercial era el camino que iba de Veracruz a México y de ahí a Acapulco. En aquella época la región que rodeaba a esos puertos era insalubre. Veracruz sólo tenía gran animación cuando llegaban las flotas de España y Acapulco al recibir el famoso Galeón de Filipinas, que transportaba los apreciados artículos de lujo del Oriente.

Este detalle del retrato de una dama de Nueva España en el siglo XVIII, te da una idea de la ostentación que las familias ricas hacían de su fortuna.

Fundación de fábricas de tejidos en la Nueva España.

Se funda la ciudad de Monterrey.

El crecimiento del comercio era obstaculizado por el gran número de impuestos que cobraba el gobierno colonial y porque todos los negocios con el exterior tenían que hacerse con la intervención de España. Además, la monarquía se reservaba el derecho de vender ciertos artículos, como el mercurio que era indispensable para la extracción de la plata.

La otra gran plaga del comercio fue la piratería marítima. Tanta era la audacia de los piratas, que el gobierno obligó a los navieros a enviar sus barcos en grupos y con la escolta de buques de guerra.

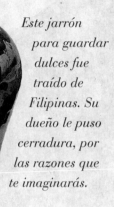

Este jarrón para guardar dulces fue traído de Filipinas. Su dueño le puso cerradura, por las razones que te imaginarás.

La única industria que realmente se desarrolló en Nueva España fue la textil. Se fabricaban telas de lana y de algodón en talleres llamados obrajes. Decenas de ellos fueron establecidos en las ciudades de la región central. Generalmente se empleaba a trabajadores cautivos, presos por algún delito o endeudados con sus patrones. De esa manera era difícil que escaparan a las duras condiciones de trabajo.

La incipiente industria textil de la Colonia.

◄ *Galeón de la flota española.*

Primeros establecimientos franceses en Canadá. Se funda Quebec.

Se funda Jamestown, Virginia.

Las artes y las ciencias

Seguramente la herencia artística más importante de la Colonia es la arquitectura. Miles de construcciones de aquella época existen en casi todo el territorio de México. Los hay de todos tipos: catedrales monumentales y templos modestos; palacios y edificios de gobierno; obras públicas, como acueductos y hospitales. En las ciudades y pueblos antiguos nos hemos acostumbrado a verlos como parte de nuestra vida diaria, pero hay que observarlos con cuidado para apreciar su belleza, la solidez que ha permitido resistir el paso del tiempo y el ingenio con el que sus constructores españoles e indígenas resolvieron complicados problemas de edificación.

En Nueva España se introdujeron muy pronto dos medios indispensables para el desarrollo de la cultura: la imprenta y la universidad. Ambas existían desde el siglo XVI y ayudaron a crear posibilidades de aprender, discutir y difundir las ideas.

Patio del convento de La Merced, bello ejemplo de la arquitectura colonial de la Ciudad de México.

Desde los inicios de la Colonia la población indígena fue empleada en la edificación de las ciudades.

ACTIVIDAD

Si en tu localidad hay construcciones coloniales, escoge una de ellas. Visítala con tu maestro, un familiar o tus compañeros. Investiga: ¿cuándo se construyó?, ¿qué usos se le han dado?

Escribe lo que más te llame la atención sobre ella y coméntalo en el grupo.

La Catedral Metropolitana se construyó por etapas durante el periodo colonial.

Primeros esclavos en Virginia.

Puritanos ingleses fundan una colonia en Nueva Inglaterra.

La cultura novohispana tuvo sus altas y sus bajas. La universidad, por ejemplo, pasó por épocas brillantes y por otras en que predominaron la mediocridad y la flojera. A pesar de todo, se desarrolló una cultura variada, con rasgos propios, que no era una simple extensión del arte y del saber cultivados en Europa.

En la segunda mitad del siglo había ya historiadores, científicos, poetas y periodistas que expresaban el sentimiento de los criollos. Se hacen frecuentes las descripciones del paisaje de nuestra tierra, la recuperación de la historia prehispánica, las narraciones relacionadas con las costumbres, las leyendas y los personajes típicos de la Colonia. Algunos historiadores llaman "patriotismo criollo" a esta manera de sentir y de pensar, que ejercería una gran influencia al iniciarse el movimiento de independencia en la primera década del siglo XIX.

El español de América

La lengua castellana es uno de los legados más importantes que la época colonial dejó en Hispanoamérica. Aunque en nuestro continente se hablan también muchas lenguas indígenas, el español es el elemento común que une a nuestros países, desde México hasta la Tierra del Fuego, y que también es hablado por millones de emigrantes que viven en Estados Unidos.

El español hablado en el siglo XVI ha cambiado a lo largo del tiempo. Fíjate, por ejemplo, en el relato de Bernal Díaz del Castillo de tu libro de Historia. Cuarto grado, *página 59*, y nota las diferencias con el lenguaje actual. En América el español hablado en las colonias fue experimentando también cambios regionales, influidos por la manera de hablar de los grupos indígenas y de los emigrantes de Europa y África que llegaron después de la conquista.

Los hablantes del español nos entendemos sin problemas unos con otros, pero notamos que, según el país en el que se vive, hay diferencias en la entonación, la pronunciación y en el significado de algunas palabras. Piensa, por ejemplo, en los matices del habla de un mexicano, un cubano y un argentino.

Dentro de países extensos de Hispanoamérica se encuentran también variaciones en el habla regional, como las que existen entre un habitante de Sonora, uno de la Ciudad de México y uno de Yucatán. Como te habrás dado cuenta, a cada quien le parece que son los otros quienes hablan muy raro. Estas particularidades del habla son parte de la riqueza y la diversidad de los culturas hispanoamericanas.

Siembra de algodón en Virginia.

Fuerte de El Morro, en
el viejo San Juan, Puerto Rico.

América en el siglo XVIII

Unos 280 años después del primer viaje de Colón, la mayor parte del continente americano había sido colonizada por varias naciones de Europa. Todavía quedaban amplias extensiones de tierras vírgenes, habitadas por pueblos cazadores y pescadores y apenas exploradas por los europeos. Pero la base de la colonización estaba firmemente establecida: entre 20 y 30 millones de personas poblaban las regiones colonizadas. Habían construido nuevas ciudades, desarrollado una agricultura que combinaba elementos indígenas y europeos, introducido la ganadería y explotado las minas. Los productos de América eran ya una aportación indispensable a la economía del resto del mundo.

En esta lección encontrarás un panorama de América en la segunda mitad del siglo XVIII. Apenas unas décadas después, algunas de aquellas colonias eran ya las primeras naciones libres de América.

La variedad de los productos agrícolas de las regiones cálidas de América era extraordinaria.

▼ *Instalaciones de una hacienda novohispana.*

Llegan la pimienta y la canela a Brasil.

Fundación de la Universidad de Harvard.

América española

América fue como un imán para los españoles. Decenas de miles de hombres y mujeres dejaron la península ibérica en los siglos XVII y XVIII. Ya no venían como guerreros, sino a establecerse como agricultores o mineros, a practicar el comercio o a ejercer diversos oficios y profesiones.

Cerámica poblana en la que el artista representó a un galeón español.

Una de las razones de la emigración fue la escasez de tierras agrícolas en España. La península no es, en general, un territorio fértil y la propiedad estaba concentrada en las familias de la alta nobleza. Existía la costumbre de heredar las posesiones al mayor de los hijos varones, lo que dio origen a un grupo muy numeroso de personas que tenían un apellido aristocrático, pero que en realidad eran pobres. Ellos, así como los campesinos sin tierras y los artesanos desempleados veían en América la oportunidad de una vida más próspera y segura.

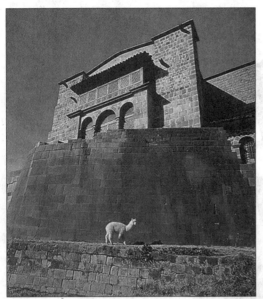

▲ *Iglesia en Cuzco, Perú, construida sobre un templo indígena. Compárala con la de Mitla en la página 159.*

En todas las colonias se presentó una fuerte reducción de la población indígena, por las mismas razones que en Nueva España. Hacia 1650 el despoblamiento se detuvo y se inició una lenta recuperación indígena, pero para muchos pueblos, los más pequeños, ya era demasiado tarde. Se calcula que sumando a la población indígena, a los migrantes europeos y africanos y al creciente grupo de los mestizos, las colonias españolas tenían entre 10 y 15 millones de habitantes al terminar el siglo XVIII.

El territorio ocupado por los españoles tuvo varias formas de organización a lo largo de la época colonial. A finales del siglo XVII existían cuatro virreinatos: el de Nueva España, desde donde se gobernaba la colonia oriental de Filipinas; el de Nueva Granada, el de Perú y el de La Plata. Había también dos Capitanías Generales, en Guatemala y en Chile. Además existían las Audiencias, que eran organismos encargados de la aplicación de las leyes.

La monarquía española gobernó por separado a cada

El tallado y la pintura de la madera recuerdan influencias europeas y asiáticas.

Primera imprenta en Nueva Inglaterra.

Las cafeterías se popularizan en Europa.

una de sus colonias y evitó por todos los medios el establecimiento de lazos económicos y políticos entre ellas. Por eso, a pesar de las grandes semejanzas culturales y sociales de las colonias, cuando se volvieron independientes en el siglo XIX, cada una se organizó conforme a sus antiguos límites y fracasaron las tentativas de unificación.

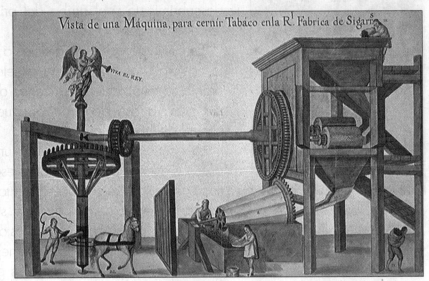

La economía de las colonias españolas pasó por etapas de rápido progreso y por otras de estancamiento. En la segunda parte del siglo XVI hubo un notable aumento de la riqueza, pero el siglo siguiente fue difícil, pues el comercio descendió y la excesiva producción de plata hizo que bajara el precio del metal. Fue hasta el siglo XVIII que la economía volvió a crecer, gracias a la reorganización del gobierno y el comercio que realizaron los reyes de una familia, los Borbón, que ocuparon el trono de España desde el año 1700, sustituyendo a la familia de los Habsburgo.

Inicios de la industria tabacalera.

Las reformas de estos reyes mejoraron el funcionamiento de la administración. Crearon en los virreinatos divisiones territoriales llamadas intendencias, que en el caso de Nueva España son el antecedente de los actuales estados de la república. Sin embargo, las reformas crearon descontento entre los criollos, porque todos los cargos públicos importantes fueron otorgados a españoles, que venían a gobernar sociedades que ni siquiera conocían.

Iglesia de la Compañía de Jesús, en Perú.

ACTIVIDAD

¿Qué semejanzas y diferencias encuentras entre las regiones de América en el siglo XVIII? Elabora un cuadro en el que compares sus principales características. Por ejemplo: ¿cómo eran gobernadas?, ¿cómo era su población?, ¿cuáles fueron sus actividades económicas más importantes?

Nace Sor Juana Inés de la Cruz.

Los piratas saquean el puerto de Guayaquil.

Brasil

Iglesia de San Francisco de Asís, en Brasil.

La colonización de Brasil fue lenta, pues 50 años pasaron entre su descubrimiento y el arribo del primer gobernador, nombrado por el rey de Portugal.

Esa situación cambió gracias a la caña de azúcar. La extensa franja costera brasileña ofrecía excelentes condiciones para su cultivo y pronto se establecieron decenas de ingenios. Brasil se volvió la colonia más valiosa de Portugal, que había perdido para entonces el control del comercio con India.

La economía azucarera tuvo un efecto grave sobre la población, pues los dueños de plantaciones esclavizaron a gran número de indígenas para el cultivo y procesamiento de la caña. Estallaron guerras sangrientas y las epidemias hicieron su aparición. En unas cuantas décadas, la población india de la costa se había reducido dramáticamente y la prosperidad de las plantaciones estaba en riesgo.

La solución que adoptaron los portugueses fue llevar a Brasil a decenas de miles de africanos esclavizados. En ninguna otra parte el tráfico fue tan intenso, pues se calcula que de cada diez esclavos que llegaron a América, cuatro se quedaron en Brasil.

A partir de 1700 hubo grandes hallazgos de oro y de diamantes, lo que impulsó a la población hacia el interior del continente y hacia el sur, en dirección al Río de La Plata. Como los límites con las colonias españolas no estaban bien definidos hubo un largo conflicto, que sólo se resolvió en 1750 con un tratado que reconoció a Brasil los límites que tiene hoy en día.

El lavado del oro encontrado en los ríos era rigurosamente vigilado por capataces blancos.

A mediados del siglo Brasil tenía una economía próspera, que ya no dependía únicamente del azúcar. Se exportaba también tabaco y algodón y tenían gran éxito los cultivos de café y cacao. Entre 3 y 4 millones de personas habitaban el enorme territorio, cuya capital se trasladó entonces de Bahía a Río de Janeiro. Había un fuerte contraste entre el tamaño y recursos de la colonia y Portugal, el país pequeño y comparativamente pobre que la dominaba.

Publicación del primer periódico novohispano.

La dinastía de los Borbón sustituye a la de los Habsburgo en España.

Las Antillas y el Caribe

Las Antillas están dispersas en el mar Caribe. Forman un gran arco de centenares de islas de todos tamaños, que van desde Cuba hasta la costa de Venezuela.

Recordarás que las Antillas mayores –Cuba, *la Española*, Puerto Rico y Jamaica– fueron las primeras posesiones españolas en América y que sirvieron de punto de partida para la conquista del continente. Pronto otras naciones europeas se interesaron en ocupar territorios en el Caribe. Querían acabar con el monopolio español, aprovechar las buenas tierras agrícolas para el cultivo de caña y tabaco y establecer bases de navegación para el comercio y la piratería.

En el puerto cubano de La Habana se llevaba a cabo un intenso intercambio comercial con la metrópoli española.

En el siglo XVIII el Caribe era un mar internacional. España conservaba Cuba y Puerto Rico, pero había cedido a Francia parte de la Española –lo que actualmente es Haití– y además los franceses dominaban Martinica, otras islas menores y parte de Guayana. Inglaterra había logrado el control de Jamaica y Belice y los holandeses, aparte de varias islas pequeñas, se habían establecido en la otra parte de Guayana, en el país que hoy es Surinam.

Luisiana

La más grande colonia que Francia pudo haber tenido en América se perdió por una extraña combinación de mala suerte y desinterés.

En 1682 el curso del largo y caudaloso río Mississippi era casi desconocido. Hernando de Soto había explorado la región, pero apenas quedaba recuerdo de su viaje. Entonces un aventurero francés, Robert de La Salle, logró recorrer el curso del río hasta su desembocadura en el Golfo de México. Según la costumbre de la época, reclamó para Francia la propiedad de todas las tierras regadas por el río. En honor del rey Luis XIV, llamó Luisiana al territorio.

La Salle regresó a Francia, armó una nueva expedición y volvió al Golfo de México. Por alguna razón difícil de explicar, sus barcos no encontraron la desembocadura del río. El aventurero desembarcó y empezó una nueva búsqueda por tierra, pero sus tropas se amotinaron y lo asesinaron.

Los reyes de Francia no prestaron mucha atención a la colonia. Fundaron Nueva Orleans, cerca del Golfo, pero no poblaron el resto del territorio. Luisiana pasó a poder de España, luego fue recuperada por Francia, hasta que a principios del siglo XIX el emperador Napoleón decidió deshacerse de la colonia y se la vendió a Estados Unidos.

Se publica el primer diario en las colonias de Norteamérica.

Se inicia la publicación de la Gaceta de México.

Las colonias inglesas de Norteamérica

Fue a mediados del siglo XVII cuando se intensificó la emigración de miles de personas desde Inglaterra hacia las colonias de la costa atlántica de Norteamérica. Las colonias se establecieron de una en una, a lo largo de 150 años, hasta sumar 13. No tenían un gobierno común, sino que cada una dependía del rey de Inglaterra, quien designaba a los gobernadores.

Existieron dos tipos de colonias. Las situadas en el sur –Virginia, las Carolinas y Georgia– tenían buenas tierras agrícolas, dedicadas al cultivo del tabaco. Las plantaciones eran extensas y sus dueños formaban una poderosa aristocracia. Cuando los trabajadores emigrantes ya no fueron suficientes para cultivar las tierras, los plantadores llevaron de África cientos de miles de esclavos.

En las colonias del norte, la llamada Nueva Inglaterra, las condiciones agrícolas eran más difíciles. Eran comunes las granjas y las pequeñas propiedades, cultivadas por los miembros de una familia, y la esclavitud fue casi desconocida. En los puertos prosperaron el comercio y la pesca, y se desarrolló la industria de construcción de barcos. La mayor parte de los pobladores pertenecía a corrientes religiosas protestantes, que no eran bien vistas en Europa. Entre ellos había menos diferencias sociales que entre los colonos del sur.

Los bomberos usaban este tipo de bomba de agua en la antigua Filadelfia.

◄ *Los artesanos, trabajadores y pequeños comerciantes vivían con sencillez en las colonias del norte. Por el contrario, la aristocracia del sur construía lujosas residencias.* ►

Se planta café en Brasil.

Benjamín Franklin funda la primera biblioteca pública en Filadelfia.

La gran inmigración ocurrió en el siglo XVIII, cuando cientos de miles de hombres, mujeres y niños llegaron a Norteamérica. No venían sólo de Inglaterra; salieron también de Irlanda y Escocia, de Alemania, Suecia y otras naciones europeas. La mayor parte eran pobres. Buscaban en América una existencia mejor, sin miseria y con respeto a sus derechos.

La población de las colonias, que ya sumaba dos millones al final de ese siglo, fue avanzando hacia el interior del continente, buscando tierras desocupadas. Los indígenas no resistieron el avance europeo y tribus enteras dejaron de existir.

Colonizadores de Nueva Inglaterra esperan a sus familiares.

La aventura de los rusos en América

Te sorprenderá saber que durante más de un siglo Rusia tuvo una colonia en América, tan grande como el actual territorio mexicano.

A inicios del siglo XVIII el zar Pedro el Grande envió al navegante Vitus Bering a que investigara

hasta dónde llegaban los dominios de Rusia en las heladas regiones cercanas al Ártico. Bering encontró el estrecho que hoy lleva su nombre y siguió adelante, navegando entre los hielos con una tripulación hambrienta. Tocó tierras americanas en Alaska, pero murió de frío y hambre en el viaje de regreso.

Años después, otros exploradores rusos establecieron colonias en Alaska y más al sur, por la costa del Pacífico. Sus pocos pobladores se dedicaban a la caza de animales de fina piel, como las zorras y las focas. Tuvieron tanto éxito que por poco acaban con varias especies animales. Sin embargo, la colonia estaba demasiado lejos de la capital rusa y era

difícil defenderla, así que el gobierno del zar se la vendió a Estados Unidos a mediados del siglo XIX. Recibió en pago siete millones de dólares y fue, en realidad, un pésimo negocio.

Carlos III inicia las reformas borbónicas en España.

Río de Janeiro, capital del Virreinato de Brasil.

Comerciantes de pieles de Nueva Francia llegan a una aldea india.

▼ *Soldado de Nueva Francia con equipo para caminar sobre la nieve.*

El origen de Canadá

La región costera del noreste de América llamó la atención de los navegantes europeos desde el siglo XVI. Cada primavera llegaban ahí barcos dedicados a la captura de bacalao y de ballenas. Sin embargo, el frío del invierno retrasó el establecimiento de poblados permanentes.

Fue un tenaz explorador francés, Samuel de Champlain, quien a partir del año 1600 fundó las primeras aldeas a las orillas del río San Lorenzo, región llamada Canadá por los indígenas. Entre ellas están Quebec y Montreal, que hoy son dos grandes ciudades de ese país. La colonia se llamó Nueva Francia y se sostenía del comercio de pieles, sobre todo de castor, que los colonos obtenían de los indígenas de la región y que en Europa se vendían con buenas ganancias.

Nueva Francia se fue poblando con emigrantes de Europa y la agricultura prosperó, venciendo las dificultades del clima. Sin embargo, había frecuentes conflictos con los colonos ingleses, establecidos en las regiones vecinas. En 1756 estalló la guerra entre Francia e Inglaterra y ésta se extendió a América. Los ingleses, junto con los colonos que habitaban en el actual Estados Unidos y sus aliados indios, vencieron al bando francés y Nueva Francia quedó bajo el dominio de los reyes de Inglaterra en 1763.

La colonización se intensificó después de la guerra. Desde entonces han existido en Canadá dos idiomas y dos culturas distintos, que provienen de Francia y de Inglaterra.

ACTIVIDAD

En esta lección te has enterado de la población que tenían algunas regiones de América, en la segunda mitad del siglo XVIII.

Investiga en tu *Libro de Geografía* y en tu *Atlas* ¿qué población tiene ahora el país al que pertenecieron?, ¿cuántas veces se ha multiplicado la población?

Expulsión de los jesuitas de España y sus colonias.

Libertad de comercio entre Nueva España, Perú y Nueva Granada.

ACTIVIDAD

Observa en el mapa la ubicación de las zonas coloniales e identifica a los países actuales que formaron parte de cada una de ellas.

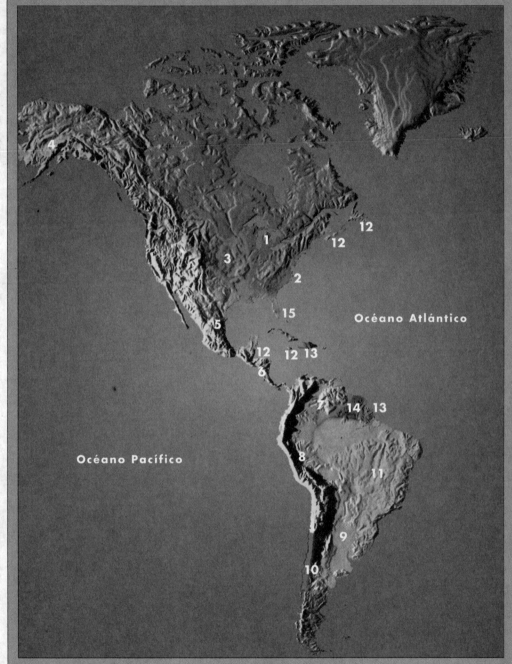

Océano Atlántico

Océano Pacífico

1 Nueva Francia

2 Trece colonias de Norteamérica

3 Luisiana (Francia)

4 Alaska (Rusia)

5 Virreinato de Nueva España

6 Capitanía de Guatemala

7 Virreinato de Nueva Granada

8 Virreinato de Perú

9 Virreinato de La Plata (1776)

10 Capitanía de Chile

11 Brasil

12 Otras colonias inglesas

13 Otras posesiones francesas

14 Posesiones holandesas

15 Posesiones españolas

Se crea el Virreinato de Río de La Plata.

Declaración de Independencia de las trece colonias inglesas de América del Norte.

La ronda de noche, detalle de la pintura de Rembrandt.

Mientras en América se extendían las colonias europeas y se formaban lentamente nuevas sociedades, en Europa también ocurrían grandes transformaciones, que estudiarás en esta lección. Verás cómo algunos países, como Inglaterra y Francia, se convirtieron en las potencias dominantes y entraron en decadencia España y Portugal, a pesar de sus riquezas coloniales. Los reyes alcanzaron su mayor autoridad y en casi todas las naciones gobernaron sin limitaciones. Al mismo tiempo tuvo lugar un rápido avance del conocimiento científico, las ciudades ganaron mayor importancia y empezaron a surgir nuevas ideas sobre la mejor manera de organizar al gobierno y a la sociedad.

Una familia típica del campo en Francia.

Por eso se considera a los años que van de 1650 a 1750 como una época de transición, es decir, de cambio incompleto. En Europa todavía perduraban formas de pensar y de vivir que venían del pasado, pero al mismo tiempo nacían los hombres y las ideas que transformarían al mundo a finales del siglo XVIII y principios del XIX.

Importantes avances en la ciencia marcaron esta época.

Ejecución de Carlos I de Inglaterra.

La lucha entre naciones

Europa no conoció una paz completa en 100 años. Cada nación trataba de realizar sus intereses mediante la guerra: agrandar su territorio, ganar ventajas comerciales o influencia política, debilitar a un adversario temible. La guerra llevaba a la formación de alianzas de países rivales y, con frecuencia, lo que empezaba como un pequeño conflicto terminaba llevando a la lucha a todos los ejércitos europeos.

La guerra devastaba regiones enteras. Destruía el resultado de años de trabajo, obligaba a la gente a dejar sus casas y pueblos y provocaba muertes y sufrimientos entre la población no combatiente. El perfeccionamiento de los cañones, los arcabuces y las fortificaciones vino a aumentar el daño causado por las batallas.

▲ Antigua bomba de mano.

▶ *Arcabuz. La pólvora era encendida con un sistema igual al de los actuales encendedores.*

▶ *Una de las mayores batallas de la guerra de 30 años.*

Comenio publica el primer libro ilustrado para niños.

A fin de cuentas, los grandes perdedores en las guerras fueron España y Portugal. Estas naciones obtuvieron enormes riquezas de sus colonias, pero su agricultura no progresó y no crearon su propia industria. Se vieron obligadas a comprar gran parte de lo que necesitaban –alimentos, telas, artículos de uso diario– a países como Inglaterra, Holanda y Francia, en donde prosperaban el comercio y los talleres industriales. De esa manera, las ganancias de la explotación colonial se escaparon de las manos de españoles y portugueses, quienes terminaron arruinados por luchas costosas y desafortunadas.

El comercio marítimo fue creciendo en importancia y los gobiernos de Europa se dieron cuenta de que, para ser más fuertes que los demás, no era suficiente un gran ejército, sino que necesitaban controlar las rutas de los mares. Por eso la marina de guerra se volvió un arma formidable, que los ingleses utilizaron mejor que nadie.

Telares franceses en los que se confeccionaban, manualmente, finos tapices y telas.

Los grandes veleros del siglo XVIII fueron la culminación de una larga evolución técnica, que duró milenios y que has podido seguir en este libro. En el siglo XIX, los barcos de vapor, más rápidos y seguros, desplazarían a los veleros. Los barcos de guerra que ves aquí formaban parte de la flota inglesa. A la derecha está el Victory, construido en 1765 y armado con 100 cañones. Se conserva como museo y es orgullo de la marina británica.

Se prohíben las obras de Descartes.

Estudios en microscopio de la célula.

Europa y las nuevas colonias

Las potencias marítimas de Europa se lanzaron desde el siglo XVII a una nueva etapa de colonización, que una vez más tenía como objetivo el Oriente.

Francia e Inglaterra fundaron bases comerciales en India, donde desplazaron a los portugueses. A mediados del siglo XVIII los ingleses aprovecharon el derrumbe del último imperio hindú, el mogul, y establecieron una dominación sobre esos territorios que duraría 200 años. Los holandeses, por su parte, fundaron en Java la ciudad de Batavia y desde ahí controlaron el comercio de las especias.

Esta colonización fue distinta a la de América. Las potencias marítimas formaron grandes empresas comerciales, llamadas compañías, en las que invertían dinero los gobiernos, los nobles y los burgueses ricos. Las compañías establecían los puertos y organizaban el transporte y la explotación de los recursos naturales, como el algodón de India o la pimienta de Java y Sumatra. No hubo grandes migraciones de europeos y por eso no existió mestizaje alguno en esas regiones.

Para defenderse de la colonización, China y Japón cerraron sus puertas a los europeos. Sin embargo, el aislamiento provocó el atraso técnico y económico de esos imperios y más tarde los haría vulnerables a las presiones de los gobiernos y comerciantes extranjeros.

▲ *Ingleses llegando a India.*

Planta de canela.

▶ *Diplomático inglés presentándose ante el emperador chino.*

Obras de
Spinoza.

Rusia y Pedro *El Grande*

A mediados del siglo XVII Rusia era el imperio más extenso y más atrasado de Europa. Sus soberanos, llamados zares, habían conquistado las frías planicies de Siberia y llegado hasta las fronteras de China. A pesar de su tamaño, Rusia contaba muy poco entre las potencias de Europa, pues estaba gobernada por una nobleza inculta, que explotaba a millones de campesinos que vivían en estado de servidumbre.

En 1689 subió al trono un nuevo zar, llamado Pedro. De niño había sufrido la crueldad de la lucha entre grupos de la nobleza. Quería gobernar un país avanzado y sacar a Rusia de la Edad Media. Muy joven viajó por toda Europa para conocer directamente los adelantos de la técnica y de la organización de los gobiernos.

Convertido en zar, Pedro se lanzó a la reforma de su país. Era inteligente, enérgico y despiadado. Sometió violentamente a la nobleza, modernizó al ejército y llevó a Rusia a miles de técnicos extranjeros. Convirtió al imperio ruso en una potencia militar y logró tanta autoridad que recibió el sobrenombre de El Grande.

A pesar de sus éxitos, el zar Pedro no cambió la forma de vida de los campesinos, que eran la mayoría de la población. Cuando murió, Rusia parecía formada por dos países: una bella capital, con una corte y un ejército modernos y un inmenso territorio dominado por la miseria y la ignorancia.

Newton y Leibnitz desarrollan el cálculo infinitesimal.

Observatorio astronómico en Greenwich.

1672

1675

Las monarquías absolutas

▼ Un alto funcionario al servicio del rey de Francia, rodeado por sus sirvientes.

En esta época el gobierno de los reyes ganó un poder ilimitado en muchas naciones de Europa. Aunque no fue fácil, los monarcas lograron imponer su voluntad sobre los nobles, a quienes convirtieron en aliados fieles. Los dignatarios religiosos, los burgueses, los artesanos y los campesinos también estaban sometidos totalmente a la autoridad real. A esta forma de gobierno se le llama monarquía absoluta.

Los reyes fortalecieron una complicada administración, formada por miles de funcionarios y empleados, que vigilaban la producción y el comercio, cobraban impuestos, supervisaban al ejército y aplicaban la justicia. La monarquía trataba de controlar todas las actividades de los habitantes del reino, lo que acabó por provocar una justificada irritación entre la gente.

◄ El lujo y la belleza eran apreciados en los objetos de uso diario. Imagínate el tiempo y la habilidad que necesitó un gran artesano para fabricar este mueble.

► El recaudador de impuestos anota las cuentas en su libro bajo la mirada vigilante del representante del rey.

Primeros partidos políticos en Inglaterra.

Los reyes vivían en palacios tan grandes y suntuosos, que hoy en día son museos. Los acompañaba la corte formada por la nobleza de más alto rango. La vida de la corte estaba llena de ceremonias y festejos y sujeta a innumerables reglas de cortesía y reverencia. Esa forma de vida tenía el propósito de convencer al pueblo de que el rey era un ser superior, que gobernaba por voluntad divina y que estaba por encima de la opinión de las personas comunes y corrientes.

Como te imaginarás, esa forma de vida era muy costosa. Para obtener el dinero necesario, los reyes establecían un impuesto tras otro y, en los casos de mayor apuro, vendían los cargos públicos y hasta títulos de nobleza. Los perjudicados eran quienes producían y trabajaban, perseguidos por cobradores de impuestos y funcionarios corruptos, deseosos de enriquecerse rápidamente.

▼ *Fachada del palacio de Versalles en Francia.*

Termina la tolerancia religiosa en Francia.

El Parlamento en Inglaterra

Francia, España, Rusia y el imperio austríaco fueron los ejemplos más notables de la monarquía absoluta, pero entre las grandes potencias hubo una que fue distinta: Inglaterra.

Los nobles y los burgueses de Inglaterra sostuvieron una larga lucha por limitar el poder de sus reyes. Lograron establecer ciertos derechos que el monarca estaba obligado a respetar y un organismo en el que estaban representados, llamado Parlamento, que debía ser consultado por el rey antes de tomar decisiones importantes.

La relación entre los reyes y el Parlamento fue conflictiva. Algunos monarcas, como Enrique VIII y su hija Isabel I gobernaron sin problemas, pero otros fueron derrocados: hubo una rebelión que terminó con la ejecución del rey Carlos I y décadas después los parlamentarios expulsaron a un nuevo monarca.

Al paso del tiempo, el Parlamento se convirtió en el verdadero gobierno, por el que lucharon los primeros partidos políticos organizados que han existido. No había una democracia como la entendemos ahora, porque sólo los nobles, los burgueses y la gente de clase media participaba en el gobierno. Sin embargo, el origen de la representación popular y la división de poderes en la época moderna está en Inglaterra.

Miembros del Parlamento inglés discuten en sesión.

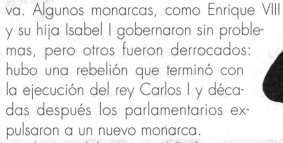
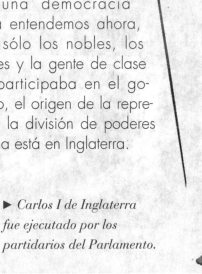

▶ *Carlos I de Inglaterra fue ejecutado por los partidarios del Parlamento.*

Pedro el Grande, zar de Rusia.

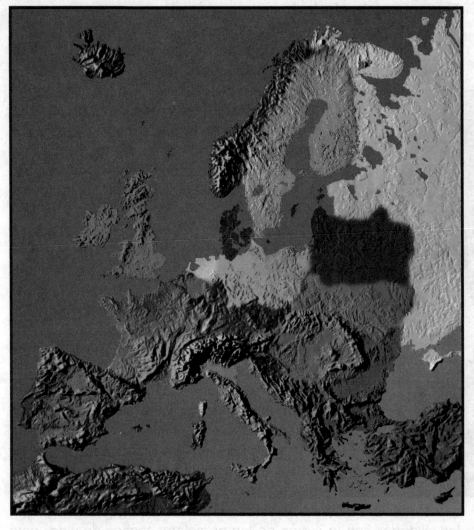

 1. Gran Bretaña

 2. Francia

 3. España

 4. Portugal

 5. Imperio austríaco

 6. Estados alemanes

 7. Holanda

 8. Rusia

 9. Suecia

 10. Estados italianos

 11. Imperio otomano

ACTIVIDAD

Compara el territorio de las principales naciones de Europa en el siglo XVIII con un mapa político actual. Escribe una lista de los países que existen ahora y formaban parte de cada uno de esos territorios.

Perrault publica
los primeros cuentos
para niños.

Guerra por la
sucesión en el trono
de España.

El campo y la ciudad

Esta fue también una época de grandes cambios sociales. Uno de ellos fue el peso creciente de las ciudades. Hacia 1750 Europa contaba con unos 140 millones de habitantes. La mayoría aún estaba formada por campesinos, pues sólo 15 de cada 100 personas vivían en ciudades. Sin embargo, los centros urbanos dominaban la vida europea: en ellos se tomaban las decisiones políticas, existían oportunidades de educación y diversión y se hacían los buenos negocios.

El campesino llevaba una vida difícil. Pocos eran totalmente libres, pues cultivaban tierras de la nobleza y tenían muchas obligaciones que cumplían con trabajo gratuito. Para los campesinos más pobres, la papa llevada de América resultó una bendición, porque se adaptó a los climas fríos y producía cosechas abundantes. Cuando las heladas o las plagas acababan con la papa, el hambre despoblaba regiones enteras.

Londres fue reconstruida después del gran incendio.

En las ciudades residían los nobles, los burgueses y los funcionarios del gobierno y las iglesias, pero quienes realmente hicieron crecer los centros urbanos fueron los campesinos inmigrantes. Iban a las ciudades con la ilusión de lograr mejores formas de vida, pero generalmente sólo encontraban un trabajo inseguro y mal pagado como albañiles, cargadores o sirvientes. La delincuencia era otra plaga que afectaba especialmente a los pobres. En un intento por reducir robos y asaltos, en 1667 las autoridades de París fueron las primeras en instalar alumbrado y vigilancia policiaca en las calles.

Algunas ciudades crecieron mucho y con gran desorden. Londres, la mayor de ellas, tenía 800 mil habitantes y unas 100 mil casas. Había grandes contrastes entre los barrios de una ciudad. La sección más antigua tenía bellas construcciones, pero los recién llegados vivían hacinados

► *Linterna usada en los primeros alumbrados públicos. En la página de enfrente están los curiosos pendientes del encendido.*

Muere Luis XIV, rey de Francia.

en callejones insalubres, formados por altos edificios de madera, siempre con el peligro del fuego. En Londres, un terrible incendio que duró una semana, arrasó con barrios enteros. Desde entonces se procuró usar piedra y ladrillo en las construcciones.

Las regiones campesinas cercanas aprovisionaban a la población de las ciudades. En París, por ejemplo, cada amanecer llegaban miles de campesinos en sus carretas para vender vegetales, carne y leña en los mercados. Muchas zonas se transformaron, pues ya no producían sólo para la subsistencia, sino sobre todo para el intercambio comercial.

◄ *Esta maqueta reconstruye la cocina en una casa de clase media, en el siglo XVII.*

► *Escena campesina.*

ACTIVIDAD

¿Cuáles crees que son las principales diferencias entre las ciudades y pueblos actuales y las ciudades del siglo XVIII? Piensa en los problemas que tenían en las ciudades antiguas e imagínate de qué manera los resolvían. Por ejemplo, ¿cómo se surtían de agua?, ¿y de iluminación? No importa que no tengas las respuestas. Lo importante es hacer buenas preguntas y discutir con tus compañeros las soluciones posibles.

Instrucción elemental obligatoria en el reino alemán en Prusia.

La educación y la lectura

Los pintores captaron con realismo escenas cotidianas. Este niño campesino ha regresado de la escuela y, en vez de hacer la tarea, está quitándole pulgas a su perro.

A mediados del siglo XVIII varios países de Europa logran avances importantes en la educación de los niños. Antes de esa fecha los hijos de las familias acomodadas recibían educación en su propia casa, atendidos por maestros particulares, pero los demás tenían pocas oportunidades de aprender. La situación cambia en esta época, cuando se van creando numerosas escuelas. Unas eran parroquiales y dependían de las comunidades religiosas. Otras eran sostenidas por el gobierno, como en Austria y algunos reinos alemanes.

La enseñanza era muy sencilla e incluía casi siempre religión, moral, lectura, escritura y aritmética. En países como Francia se incluía frecuentemente el aprendizaje de un oficio.

Una de las grandes consecuencias de la creación de nuevas escuelas fue el aumento en el número de lectores y la aparición de dos nuevos tipos de material impreso: las novelas populares y los periódicos.

En esta época se publican novelas con temas sencillos y atractivos, como *Robinson Crusoe* y los *Viajes de Gulliver*, que atrajeron a un público amplio, al que no interesaban los escritos complicados. Por su lado, los periódicos se multiplicaron en Inglaterra, Francia y Holanda. Primero eran semanales, pero ya en 1750 existían unos cuantos diarios. Había muchos tipos

◀ *Ilustración de Gulliver en Liliput, país de los enanos, aparecida en la novela* Viajes de Gulliver.

▶ *Antes de que hubiera escuelas públicas en Europa, sólo los niños de las familias acomodadas recibían instrucción en sus propias casas.*

Daniel Defoe publica *Robinson Crusoe.*

de periódicos; unos traían artículos políticos, otros noticias internacionales, y otros más se especializaban en noticias sensacionales sobre crímenes y escándalos. Para todos había público.

La existencia de un mayor número de lectores, inquietos y deseosos de información, sería un factor decisivo en la difusión de las ideas que cambiaron la vida política y cultural de Europa a finales del siglo XVIII.

◄ *La lectura en voz alta de los periódicos y la discusión de noticias y rumores son representadas en esta caricatura del siglo XVIII.*

MERCURE
DE FRANCE,
DÉDIÉ AU ROI.
OCTOBRE. 1750.

À PARIS;
ANDRÉ CAILLEAU, rue Saint Jacques, à S André.
La Veuve PISSOT, Quai de Conty, à la descente du Pont-Neuf.
JEAN DE NULLY, au Palais.
JACQUES BARROIS, Quai des Augustins, à la ville de Nevers.

M. DCC. L.
Avec Approbation & Privilege du Roi.

▲ *El* Mercurio *fue uno de los primeros periódicos de Francia. Llegó a tener 15 mil suscriptores.*

En 1658 el educador Juan Comenio publicó el primer libro de texto escolar, en el que se utilizan ilustraciones como apoyo para la enseñanza. Fíjate cómo relaciona el autor la imagen con la palabra escrita.

Las bestias salvajes tienen uñas, dientes afilados y son carnívoras.
- Como el león (1), rey de los cuadrúpedos, con melena y la leona;
- la manchada pantera (2), el tigre (3), el más feroz de todos;
- el oso peludo (4), el lobo rapaz (5), el lince de potente mirada (6);
- la zorra de larga cola (7), la más astuta de todas.
- El erizo, lleno de púas (8). El tejón, feliz en los escondrijos (9).

Obras musicales de Bach y Vivaldi.

La madurez de las ciencias

La ciencia moderna tiene su origen en el Renacimiento, pero llega a la edad adulta en los años que transcurren entre 1650 y 1750. El conocimiento científico no ha cesado de avanzar desde entonces, pero se puede afirmar que para mediados del siglo XVIII ya se habían realizado los inventos y descubrimientos que son la base actual de ciencias fundamentales como las matemáticas y la física.

Para que las ciencias avancen, se necesita estar convencido de que la razón humana es capaz de explicarse todo lo que ocurre en el mundo natural y de que, aunque existan fenómenos que en algún momento no comprendemos, tarde o temprano la inteligencia del hombre encontrará para ellos una explicación verdadera. Esta manera de pensar se llama *racionalismo* y se desarrolló en la época tratada en esta lección.

Telescopio utilizado por Isaac Newton.

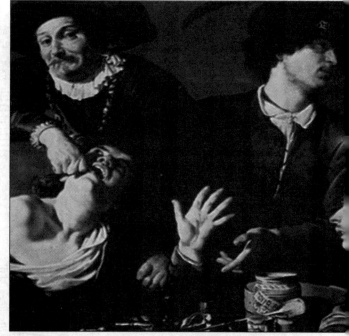

En el siglo XVII la medicina tuvo avances, como tomar el pulso en la revisión de los pacientes. Pero, como ves, los dentistas estaban muy atrasados.

Se descubre la respiración vegetal.

El racionalismo fue el resultado de la reflexión de muchos pensadores. El primero fue René Descartes, un matemático francés, quien insistía en la necesidad de pensar y argumentar con orden y claridad y de sólo aceptar ideas precisas, y no opiniones formadas a la ligera. Otro fue Benito Spinoza, de origen portugués pero nacido en Holanda, quien sostenía que el trabajo del científico consiste en comprender, sin permitir que le influyan las emociones como el amor y el odio. Las obras de ambos fueron prohibidas, pues se les consideraba contrarias al cristianismo.

Los científicos de esta época son un ejemplo de dedicación a su trabajo. No les importaba llevar una vida modesta, mientras pudieran investigar y estudiar en paz. Su esfuerzo se justificaba por el gusto que les producía lograr el conocimiento de algo nuevo, en cuya búsqueda habían trabajado durante años. La mayor parte de los descubrimientos no se realizaron en las universidades, que por entonces pasaban por una época de decadencia, sino más frecuentemente con el apoyo de sociedades científicas, que además les brindaban la oportunidad de discutir e intercambiar ideas con sus colegas.

Un avance de la medicina de esta época fue el examen de orina.

ACTIVIDAD

En las lecciones 11 y 15 de este libro has estudiado algunos avances científicos ocurridos en el Renacimiento y entre 1650 y 1750. Ahora, forma un equipo con tus compañeros y revisen los temas que trata tu libro de Ciencias Naturales. ¿Cuáles de esos temas están relacionados con los avances científicos que has estudiado? Hagan una lista y discútanla en el grupo.

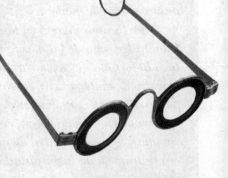

Gafas de montura de hierro.

La ópera se vuelve popular.

Franceses e ingleses intervienen en India.

Newton y la física

El científico más brillante de la época fue el inglés Isaac Newton. Era un matemático notable y eso le ayudó a formular sus descubrimientos con absoluta precisión. Encontró la explicación de la gravitación universal, la que nos permite entender, entre otras cosas, por qué los planetas permanecen en el sistema solar y siguen trayectorias regulares, en vez de dispersarse por el espacio.

La física tuvo otros avances. Se conoció la existencia de la presión atmosférica y se inventó una forma para medirla; asimismo se descubrió qué relación hay entre la temperatura de los gases y el volumen que ocupan. Al realizar descubrimientos como estos, los científicos no buscaban forzosamente resultados prácticos; sin embargo, sus hallazgos permitieron inventar posteriormente numerosos aparatos, como la máquina de vapor, que vendrían a transformar la vida de la humanidad.

▲ *Newton desarrolló la teoría de la gravitación universal a partir de sus observaciones en el campo.*

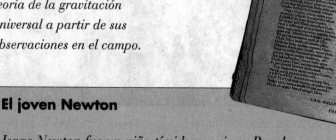

El joven Newton

Isaac Newton fue un niño tímido y curioso. Pasaba largas horas leyendo y construyendo pequeños modelos de casas y de ingeniosos aparatos hechos de paja y trozos de madera.

A los 18 años ingresó en la Universidad de Cambridge, una de las más famosas de Inglaterra, y tuvo la fortuna de encontrarse con un excelente maestro de matemáticas. Justamente cuando estaba por finalizar sus estudios, se desató una terrible epidemia. En aquella época, cuando no existían las vacunas, la mejor manera de protegerse del contagio era retirarse a un lugar aislado en el campo, de modo que Newton se fue a la vieja granja de sus abuelos donde pasó más de un año. Tenía apenas 23 años de edad.

Ahí tuvo mucho tiempo para estudiar y pensar. El mismo Newton platicaba tiempo después que las mejores ideas de su vida se le habían ocurrido en esa época.

Gran parte de su larga existencia la dedicó a desarrollar y demostrar las explicaciones que formuló por primera vez en aquellas vacaciones forzadas. Newton tenía la capacidad de encontrar problemas científicos en las cosas más simples. Sus investigaciones sobre la luz, por ejemplo, se iniciaron cuando observó que un rayo de luz solar, al pasar por un cristal en forma de prisma, se descompone en los siete colores básicos. Una vez que un problema despertaba su curiosidad y se le metía en la cabeza, no descansaba hasta encontrar una explicación que lo dejase satisfecho.

Linneo elabora su clasificación de los seres vivos.

Aparatos y experimentos

Los avances de la ciencia fueron apoyados por el invento de numerosos aparatos, que hicieron posible observar y medir con precisión los fenómenos, así como demostrar mediante experimentos bien controlados si una idea era falsa o verdadera. De esta época proviene el perfeccionamiento del telescopio y la construcción de termómetros, para los que inventaron dos escalas de temperatura: la de Celsius, que usamos los pueblos latinos y la de Farenheit, que usan los anglosajones.

Un invento revolucionario fue el microscopio, que hizo posible el estudio de un mundo que no es perceptible para el ojo humano. En esa época se observó por vez primera a las células, las bacterias, los seres de una sola célula y el tejido de los pulmones.

◀ *Termómetro ambiental de mercurio.*

El invento de los resortes de espiral hizo posible la fabricación de relojes portátiles y más precisos. Antes sólo había relojes fijos.

Microscopios como éste, construidos hacia 1700, podían magnificar hasta 250 veces los objetos observados.

Primera operación de apéndice.

El correo

Estamos tan acostumbrados a ciertos servicios públicos, que no tenemos la curiosidad de preguntarnos cuál es su origen y cómo han cambiado a lo largo del tiempo. Uno de ellos es el correo. Desde la época del imperio romano existía un servicio especializado en el transporte de cartas y pequeños paquetes. Sin embargo, era para el uso exclusivo del gobierno y aun las personas muy importantes tenían que emplear un mensajero particular. Se sabe que también los gobernantes de los aztecas y de los incas tenían un sistema parecido.

Fue hasta el siglo XVII cuando se estableció en Europa un sistema regular de correos, que pudiera ser utilizado por las personas comunes y corrientes. El caso de Francia es interesante: hacia 1750 el gobierno controlaba unas 900 oficinas de correos, →

Las artes

La arquitectura, la escultura y la pintura tuvieron un notable desarrollo en esta época. Las grandes obras nos transmiten una sensación de opulencia, que refleja el poder de reyes y autoridades religiosas, quienes fueron los principales patrocinadores de las artes. Sin embargo, muchos opinan que estas creaciones no alcanzaron la originalidad y la fuerza expresiva del arte del Renacimiento y que su belleza es disminuida por el exceso de elementos decorativos, estilo muy apreciado por la aristocracia de aquel tiempo.

Una expresión artística que por entonces alcanzó la madurez fue la música para orquesta. Se perfeccionaron antiguos instrumentos de cuerdas, como el violín y se inventaron otros como el clarinete y el clavicordio, que es el antepasado del moderno piano. Se formaron orquestas que tenían entre 20 y 40 miembros; con ellas los compositores tenían amplísimas posibilidades de combinación de sonidos.

El desarrollo de la música había dependido en gran parte de las actividades religiosas, católicas o protestantes, pero por esta época tiene ya otros públicos: se ejecuta música en las cortes, en reuniones sociales y, por primera vez, en espectáculos públicos a los que la gente asiste pagando su boleto.

El gusto por la música se extendió mucho. Era común que los buenos aficionados aprendieran a tocar un instrumento y formaran grupos musicales con sus familiares y amigos.

Instrumentos de aliento contruidos en el siglo XVIII.

Clavecín con doble teclado.

Franklin descubre que los rayos son una forma de electricidad.

Hacia una nueva época

Varios acontecimientos que ocurrieron al iniciarse la segunda mitad del siglo XVIII son el anuncio de que pronto se producirían profundos cambios en Europa y sus colonias de América.

Surgen nuevas ideas políticas. Varios escritores, como Juan Jacobo Rousseau, se atreven a sostener que los gobiernos existen para servir a la sociedad y que su autoridad depende de la voluntad del pueblo. En las colonias inglesas de Norteamérica, los habitantes se inconforman con los impuestos que el gobierno establece sin consultarlos. En Inglaterra, se experimenta con máquinas que utilizan la fuerza del vapor.

Unas décadas más tarde, tendrán lugar revoluciones democráticas contra la monarquía absoluta, las colonias de América serán independientes y las máquinas de vapor se emplearán en los medios de transporte y para fabricar todo tipo de artículos.

Pero esa historia la estudiarás en sexto grado. Disfruta tus vacaciones.

▲ *Los primeros experimentos en el uso del vapor no fueron para la industria, sino para la cocina. En 1679 el inventor Denis Papin construyó esta olla a presión. Aunque te parezca muy rara, funcionaba en la misma forma que las actuales.*

▶ *El cartero, con el látigo en la mano, llega a la oficina al mismo tiempo que se descarga el carruaje que trae la correspondencia.*

que contaban con un establo de caballos resistentes y veloces.

Si una persona quería enviar una carta la llevaba a una de esas oficinas y pagaba una cuota, de acuerdo con la lejanía del punto de destino. Dos o tres veces a la semana un cartero recorría a caballo una ruta determinada y dejaba las cartas que correspondían a cada oficina. Ahí cambiaba la cabalgadura para no agotar a los animales. Se consideraba que un buen cartero podía viajar 90 kilómetros por día.

Aunque la utilización del correo se fue extendiendo, la gente tenía muchas quejas. No había entrega a domicilio, de modo que quien esperaba una carta debía acudir a la oficina postal. Los carteros eran asaltados con cierta frecuencia y por eso se prohibió el envío de sumas importantes de dinero. Además, la gente denunciaba que no faltaban curiosos que leyeran la correspondencia ajena.

Aparece el primer tomo de la *Enciclopedia*.

Guerra de siete años en Europa.

LÍNEA DEL TIEMPO COMPARATIVA 500 a 1700

	500	700	900
MÉXICO	ETAPA CLÁSICA		
	TEOTIHUACAN	XOCHICALCO. EL TAJÍN	
	MONTE ALBÁN	ZAPOTECAS DE LOS VALLES . MITLA	
	CIUDADES MAYAS DEL CLÁSICO		UXMAL,
RESTO DE AMÉRICA		TIAHUANACO. HUARI	
	MAYAS DE CENTROAMÉRICA		
EUROPA			EDAD MEDIA
	REINOS FRANCOS	CAROLINGIOS	REINOS
		ISLAM	VIKINGOS
			BIZANCIO
CERCANO ORIENTE	PERSIA	ISLAM. CALIFATOS	
LEJANO ORIENTE		CHINA, ÉPOCAS TANG, SUNG Y CHIN	
		INDIA. REINOS DIVIDIDOS	
	JAPÓN. BUDISMO	ÉPOCA FUJIWARA	
ÁFRICA		EXPANSIÓN DEL ISLAM	
		REINOS DE GHANA Y MALI	

1100	1300	1500	1700

ETAPA POSTCLÁSICA O HISTORICA

TOLTECA | AZTECAS | CONQUISTA | COLONIA ▶

SEÑORÍOS MIXTECAS

MAYAPÁN, CHICHÉN ITZÁ

PURÉPECHAS

CHIMÚ | INCAS

EXPLORACIÓN

CONQUISTA Y COLONIZACIÓN ▶

EDAD MODERNA ▶

FEUDALES | UNIDAD DE REINOS | ABSOLUTISMO ▶

CRUZADAS

TURCOS OTOMANOS ▶

COPÉRNICO, GALILEO, NEWTON

RENACIMIENTO

DIVISIÓN ISLÁMICA ▶

MONGOLES | TURCOS OTOMANOS ▶

MONGOLES | ÉPOCA MING | MANCHÚ ▶

SULTANATOS MUSULMANES | IMPERIO MOGUL | INGLESES ▶

FEUDALISMO | ÉPOCA KAMAKURA | GUERRAS | UNIFICACIÓN ▶

ESTADOS ISLÁMICOS | TURCOS OTOMANOS ▶

REINO DE BENIN

TRÁFICO DE ESCLAVOS ▶

ENCLAVES EUROPEOS

Créditos de iconografía

Soporte orográfico para mapas: *Mountain High Maps Image (s)* Copyright © 1993 Digital Wisdom, Inc.

Para la elaboración de este libro se utilizaron ilustraciones de los siguientes libros:

Abbeville Press, París.
Treasures of the Louvre, 1993.

Aguilar, S.A. de Ediciones, Madrid.
Los fósiles, huellas de mundos desaparecidos, 1989.
Sumer, 1981.
Atlas del mundo, 1988.
Galileo mensajero de las estrellas, 1990.
El destino truncado del imperio azteca, 1992.
Puerto Rico, 1993.

Aguilar, S.A. de Ediciones, México.
Museo Nacional de Antropología de México, 1967.

Altea, Taurus, Alfaguara, México.
Biblioteca Visual Altea: *Los fósiles; Hombres primitivos; El antiguo Egipto; La antigua Roma; Armas y armaduras; La música; Barcos; Trenes; Perros; Caballos*,1992.

American Museum of Natural History, Nueva York.
The Inca Empire, 1993.

Anaya Editoriale, Milán.
Europa 1492. Retrato de un continente hace 500 años, 1989.

Arnoldo Mondadori Editore, Milán.
Warships of the World, 1986.
Cittá Maya, 1970.
Los grandes de todos los tiempos, volúmenes V, X y XXXI, 1965.

Associazione Meeting per L'Amicizia fra í Popoli, Rímini.
Le Cittá degli Dei, 1992.

Banco Central del Ecuador, Quito.
Cañaris e Incas, 1987.

Bancomer, México.
El Templo Mayor, 1981.

Bemporad Marzocco, Florencia.
The World of Classical Athens, 1966.

Bisson Books Corp., Londres.
Treasures of Ancient Rome, 1986.

Bonanza Books, Arnoldo Mondadori Editore, Milán.
The Complete Encyclopedia of Arms and Weapons, 1982.

Bonechi Edizione, Roma.
Roma de los césares, 1975.

Centro de Investigaciones Antropológicas de México, México.
Esplendor del México antiguo, tomo II, 1959.

Color Library Books Ltd., Surrey.
The Middle Ages, 1992.

CONACYT- Martín Casillas Editores, México.
El hombre en la evolución, 1981.

CONACYT- Miguel Ángel Porrúa, México.
El mundo en imágenes , 1993.

CONAPO, México.
El poblamiento de México, Volumen I , 1993.

Cornell University Press, Nueva York.
A Handbook of Roman Art , 1983.

Crown Publishers, Inc., Nueva York.
North American Mammals, 1984.

David and Charles, Londres.
The Reign of Chivalry, 1980.

Dorling Kindersley Book, Londres.
Eyewitness Books. *Book*, 1993.
Eyewitness Books. *Aztec, Inca & Maya*, 1993.
Eyewitness Guides.
Invention, 1992.
Eyewitness Science, números 2 y 4, 1992.

Dorling Kindersley–Gallimard, Londres-París.
Toutes les Plantes, 1992.
Le Temps des découvertes, 1991.
Inventeurs et inventions, 1992.

Doubleday and Co. Inc., Nueva York.
Japan. A History in Art, 1964.

Dover Publications, Nueva York.
The illustrations from the works of Andreas Vesalius of Brussels, 1973.

Ediciones del Serval, Barcelona.
Humboldt y el cosmos, 1981.

Edita S. A., Lausana.
The Great Age of Sail, 1967.

Editions Albert Skira, Ginebra.
Roman Painting, 1953.
Chinese Painting, 1977.

Editions de la Réunion de Musseés Nationaux, París.
El Louvre, 1983.

Editions Fernand Nathan, París.
Visa Junior, 1987.

Editions Gallimard, París.
Découvertes Gallimard, números:
10, 11, 14, 19, 20, 24, 37, 45, 53, 58, 72, 84, 86, 91, 98, 104, 123.
Le livre de la mythologie, 1988.
Le livre des premiers hommes, 1984.

Editions Gallimard-Larousse, París.
Découvertes Junior, números 8 al 12, 1991-92.

Editions Minerva, París-Ginebra.
Leonardo's inventions, 1989.

Editions Nagel, Ginebra, París, Munich.
L'art et l'amour Pérou, 1975.

Editorial Argos, Barcelona.
Pompeya y Herculano, 1961.
Atenas, ciudad de los dioses, 1965.

Editorial Artes de México y del Mundo, México.
Artes de México, números: 1, 4, 12, 15, 16, 17, 21, 22 y 25, 1990-1994.

Editorial Everest, León.
El libro de la Alhambra, s/f.

Editorial Herrero, México.
Cuarenta siglos de plástica mexicana, 1969.

Editorial Planeta, Barcelona.
Historia universal del arte, volúmenes I al VII, 1992.

Editorial Sudamericana, Buenos Aires.
Historia del arte, volumen I, 1966.

El Colegio de México, México.
La miniatura de la India, 1979.

El Equilibrista-SRE, México.
Tlatelolco, 1990.

Espejo de obsidiana-Gobierno Constitucional del Estado de Guerrero, México.
El galeón del Pacífico, 1992.

Evergreen-Benedikt Taschen Verlag GmbH, Navarra.
The art of Mayas, 1981.

Exeter Books, Nueva York.
The Age of Charlemagne, 1980.

Fleming Honour, Ltd., Londres.
A World History of Art, 1982.

Fomento Cultural Banamex, A.C., México.
El universo de la cocina mexicana, 1988.
La colección pictórica del Banco Nacional de México, 1992.
El mueble mexicano, 1985.

Fondo de Cultura Económica, México.
Arte egipcio. Imperios antiguo y medio, 1968.
Reyes y reinos de la Mixteca, 1977.
El pueblo del sol, 1953.
El espejo enterrado, 1992.
Códice Zouche Nuttall, 1992.

Gemini Smith Inc., Nueva York.
China a History in Art, s/f.

Grupo Anaya, Madrid.
Brasil, el gigante del Sur, 1991.
Las primeras civilizaciones, 1985.
Las fechas clave de la historia, 1990.
Así vivían en la Grecia antigua, 1990.

Grolier Inc, Milán.
Las bellas artes, volumen I, 1969.

Hachette Collèges, París.
Histoire Géographie, 1979.

Harry N. Abrams Inc., Nueva York.
The Art of India, 1977.
Art history of painting, sculpture, architecture, 1989.

Houghton Mifflin Company, Boston.
A Message of Ancient Day, 1991.

IMSS, México.
Libellus de Medicinalibus Indorum Herbis, 1964.

INAH, México.
La civilisation des anciens Mayas, 1970.
Historia Tolteca Chichimeca, 1976.

INAH-SEP-Planeta, México.
Atlas cultural de México, Gastronomía, 1988.

INAH-OEA, México.
Alimentos, remedios, vicios y placeres, 1988.

INAH-Editorial Raíces, México.
Arqueología Mexicana, volumen 1, números 1 al 6; volumen 2, números 7 al 9, 1993-94.

INBA, México.
El arte de Pompeya, 1981.

INEGI-Dirección General del Instituto Geográfico Nacional de España, México-Madrid.
Cartografía histórica del encuentro de dos mundos, 1992.

Kimbell Art Museum, Nueva York.
The Blood of Kings, 1986.

LIBSA, Madrid.
Historia del vestido, 1990.

Mallard Press, Nueva York.
The Romans. How They Lived, 1990.

Mazenov, París.
The Art of Rome, 1973.

Metropolitan Museum of Art, Nueva York.
Treasures of Tutankhamun, 1976.

Ministère des Relations Exterieures, París.
Au pays de Baal et de Astarté, 1983.

Mitchell Beazley Publishers, Londres.
The Illustrated History of Art, 1964.

Museum of Athens, Atenas.
National Archaeological Museum of Athens, s/f.

National Geographic Society, Washington, D. C.
Volumen 160, No. 4, 1981;
volumen 125, No. 2, 1964;
volumen LXII, No. 4, 1932.
Visiting Our Past, 1977.

New York Graphic Society Books, Nueva York.
The Search for Alexander, 1980.

Organización Editorial Novaro, México.
Las obras maestras del arte universal, 1966.
Los grandes de todos los tiempos, volúmenes V, X y XXXI, 1965.

Oxford University Press, Nueva York.
The Greeks, 1990.
The Romans, 1991.
Heritage of Music, 1990.

Phaidon Press, Londres.
Egypt: Architecture, Sculpture, Painting, 1961.

Picadilly S. A., Montevideo.
Arte/Rama, volúmenes II y III, 1961.

Plaza y Janés Editores, Barcelona.
Historia de la gastronomía, 1988.
La aventura de la arqueología, 1989.
La antigua China, 1988.
La antigua India, 1990.
El antiguo Oriente, 1991.
Mundos del pasado. Atlas de arqueología, 1992.

Porrúa, México.
Historia de las cosas de Nueva España, 1956.

Promociones Editoriales Mexicanas, México.
Los doce mil grandes, volúmenes IV, VIII, XII, 1982.
Quid Ilustrado. Gran Enciclopedia Universal, tomo III, 1983.

Queromón, Editores, México.
Los hombres prehistóricos, 1964.

Quintet Publishing Limited, Londres.
Introduction to the Romans, 1991.

Reynal and Company, Nueva York.
Leonardo da Vinci, s/f.

Salvat Editores, Barcelona-México.
¿Qué es la literatura?, 1973.
Oriente y Occidente, 1973.
La ruta de Hernán Cortés, 1983.
El pueblo maya, 1981.
Imagen de México, 1976.
Guía oficial. Museo Nacional de Antropología, 1978.
Enciclopedia Salvat Diccionario, tomo VIII, 1971.
Historia del mundo, tomos 1 al 9, 1970.
Historia de la ciudad de México, tomos 1 al 5, 1984.
Historia de México, tomos 1 al 9, 1978.
Historia universal, tomo 3, 1980.
El arte mexicano, tomos I al IV, 1982.

Santillana, Madrid.
Ciencia visual Altea, números 3 y 7, 1993.

Sociedad Estatal Quinto Centenario, Lunwerg Editores, Madrid.
1492-1992, 1991.

Steimatzky's Agency Ltd, Jerusalén.
Jerusalén, 1968.

Thames and Hudson Ltd, Londres.
Baroque and Rococo, 1993.
Lost Cities of the Maya, 1992.

Thames and Hudson, San Francisco.
Teotihuacan. Art from the city of the Gods, 1993.

The Art Institute of Chicago, Verlag, Munich.
The Ancient America, 1992.
Asian Art, 1993.

The Metropolitan Museum of Art, Nueva York.
Mexico, Splendors of Thirty Centuries, 1990.

The Smithsonian Book, Washington, D.C.
The Smithsonian Book of Books, 1992.

Times Books, Londres.
The Times Illustrated World History, 1986.

Time Incorporated, Nueva York.
India histórica, 1970.

Time Incorporated, Barcelona, 1974.
La epopeya del hombre, The Israelites, 1975.

Time-Life Books, Amsterdam.
La revolución del neolítico, 1974.
El eslabón perdido, 1980.

Usborne Publishing Ltd., Londres.
The Usborne Book of Ancient World, 1991.

Verlag Philipp Von Zabern, Mainz.
Die Welt der Maya, 1992.

UNAM, México.
Escultura azteca, 1989.

UNESCO-Flammarion, París.
Painting the Conquest, 1992.

UTEHA, Madrid.
Grandes civilizaciones. Extremo Oriente, volumen II, 1993.
El hombre, 1983.

Historia
Quinto grado

Se imprimió por encargo de la
Comisión Nacional de Libros de Texto Gratuitos,
en los talleres de Editorial Offset, S.A. de C.V.,
con domicilio en Durazno núm. 1, esquina Ejido,
Col. San José de las Peritas, Tepepan,
C.P. 16010, Xochimilco, D.F., el mes de agosto de 2003.
El tiraje fue de 2'436,200 ejemplares,
más sobrantes para reposición.